FOLIO JUNIOR

Titre original : *Charmed Life*
Édition originale publiée par Macmillan Ltd, Londres
© Diana Wynne Jones, 1977, pour le texte
© Éditions Gallimard Jeunesse, 1992, pour la traduction française
et les illustrations
© Éditions Gallimard Jeunesse, 1998, pour la présente édition

Diana Wynne Jones

Ma sœur est une sorcière

Illustrations de Georges Lemoine

Traduit de l'anglais
par Florence Seyvos

Gallimard Jeunesse

Pour Claire, Nicholas et Frances

CHAPITRE PREMIER

Chat Arcand admirait Gwendoline, sa sœur aînée. C'était une sorcière. Il l'admirait et s'accrochait à elle. De grands changements survinrent dans leur vie qui ne lui laissèrent personne d'autre à qui s'accrocher.

Le premier grand changement se produisit lorsque leurs parents les emmenèrent en promenade sur le fleuve, à bord d'un bateau à roues. Ils partirent en grande pompe : Gwendoline et sa mère en robe blanche à ruban, Chat et son père en costume bleu du dimanche. C'était une chaude journée. Sur le bateau se trouvaient beaucoup d'autres gens en belle tenue, qui parlaient, riaient, tout en mangeant des fruits de mer accompagnés de fines tartines de pain blanc et de beurre, pendant que l'orgue à vapeur du bateau s'essoufflait sur des airs populaires, si bien qu'on ne s'entendait pas parler.

Seulement voilà : le bateau était trop chargé et trop vieux. A la suite d'une erreur de pilotage, la foule enjouée et endimanchée des mangeurs de fruits de mer fut aspirée par le courant venant du barrage. Le vieux bateau heurta l'une des barrières supposées retenir les embarcations entraînées par le courant, et il se brisa purement et simplement en morceaux. Chat se souvenait de l'orgue qui jouait, des roues qui battaient le ciel bleu. Des nuages de vapeur s'échappaient en sifflant des tuyaux brisés, noyant les hurlements de la foule, tandis que tous étaient balayés dans les flots du barrage. Ce fut un terrible accident.

« Un plongeon désastreux », titrèrent les journaux. Prisonnières de leurs jupes, les dames furent tout à fait incapables de nager ; les hommes, engoncés dans leurs complets du dimanche, ne furent guère plus avantagés. Mais Gwendoline était une sorcière, elle ne pouvait donc se noyer. Et Chat, qui jeta ses bras autour de Gwendoline lorsque le bateau heurta la barrière, survécut lui aussi. Il y eut très peu d'autres survivants.

Ce fut un choc pour tout le pays. La compagnie à qui appartenait le bateau et la ville de Wolvercote se partagèrent les frais des funérailles. On donna à Gwendoline et Chat, grâce aux deniers publics, de lourds vêtements noirs et ils suivirent la procession des corbillards dans une voiture tirée par des chevaux noirs, avec des plumets noirs sur la tête. Ils étaient accompagnés des autres survivants. Tout en les observant, Chat se demandait si eux aussi étaient des sorcières ou des magiciens, mais il ne put le découvrir.

Le maire de Wolvercote avait créé une fondation pour les survivants. L'argent y affluait, en provenance de tout le pays. Les autres survivants prirent leur part et s'en allèrent commencer ailleurs une nouvelle existence. Il ne resta que Chat et Gwendoline et, comme on ne put leur découvrir aucun parent, ils demeurèrent à Wolvercote.

Ils devinrent alors des célébrités. Tout le monde était très gentil et s'extasiait sur ces adorables petits orphelins. Il faut dire qu'ils étaient tous deux très beaux, avec leur teint pâle et leurs grands yeux bleus. Et puis le noir leur allait bien. Gwendoline était ravissante, et grande pour son âge. Chat au contraire était plutôt petit. Gwendoline se montrait très maternelle avec lui, et les gens en étaient tout émus. Chat y était plutôt indifférent. Cela ne suffisait pas à compenser la sensation de vide et d'égarement qu'il éprouvait. Les dames lui offraient des gâteaux et des jouets, les membres du conseil municipal venaient prendre de ses nouvelles, le maire le regardait gentiment et lui tapotait la tête... Ce dernier leur expliqua que l'argent de la fondation serait mis en dépôt jusqu'à ce qu'ils soient grands. En attendant, la ville prendrait en charge leurs dépenses et leur éducation.

– Et dites-moi, mes petits. Où voudriez-vous habiter ? demanda-t-il gentiment.

Gwendoline répondit aussitôt que la vieille Mme Sharp avait offert de les prendre chez elle.

– Elle a toujours été très gentille avec nous, poursuivit-elle, nous serions vraiment heureux d'aller habiter chez elle.

Effectivement, Mme Sharp avait toujours été très gentille. Elle aussi était sorcière – Sorcière diplômée, précisait l'inscription contre la fenêtre de son salon – et elle s'intéressait à Gwendoline. Comme tous les gens qui n'ont aucun talent en matière de sorcellerie, le maire n'avait guère de considération pour ceux qui en étaient dotés. Il demanda à Chat ce qu'il pensait de l'idée de Gwendoline. Chat répondit que cela lui était égal ; après tout, il était déjà un peu habitué à la maison de Mme Sharp. Aussi, pensant qu'il fallait que les enfants soient aussi heureux que possible, le maire donna son accord, et ils emménagèrent chez Mme Sharp.

Plus tard, Chat devait se dire que c'était à cette période qu'il avait été réellement convaincu des pouvoirs de Gwendoline. Auparavant, il n'en était pas certain. Lorsqu'un jour il avait posé la question à ses parents, ils avaient hoché la tête en soupirant d'un air triste. Chat se souvenait de son désarroi quand, après avoir souffert d'une série de terribles crampes, il avait vu ses parents s'en prendre violemment à Gwendoline et lui faire des reproches comme si elle en était responsable. Il ne voyait aucune explication à leur comportement, à moins que Gwendoline n'ait utilisé ses pouvoirs contre lui.

Mais tout était changé à présent : Mme Sharp ne faisait aucun mystère à ce sujet.

– Tu as un don incontestable pour la magie, ma chérie, disait-elle dans un radieux sourire à Gwendoline. Et je ne ferais pas mon devoir envers toi si je ne t'aidais pas à le développer. Nous devons dès maintenant te trouver un professeur. Pour un début, tu ne serais pas en de mauvaises mains avec M. Nostrum, notre voisin. Il est peut-être le plus mauvais nécromancien de la ville, mais c'est un excellent pédagogue. Il te donnera de bonnes bases, mon cœur.

Les tarifs de M. Nostrum pour l'enseignement de la magie étaient d'une livre l'heure pour les cours élémentaires, et d'une guinée pour les cours supérieurs. Plutôt

11

cher, comme disait Mme Sharp. Elle mit son plus beau chapeau, orné de perles noires, et courut à l'hôtel de ville, dans l'espoir que la fondation voudrait bien payer les leçons de Gwendoline.

A son grand désappointement, le maire refusa. Il déclara à Mme Sharp que la sorcellerie ne faisait absolument pas partie d'une éducation normale. Mme Sharp revint, tremblant d'indignation, comme en témoignait le cliquetis des perles de son chapeau. Le maire lui avait donné, en guise de consolation, une boîte en carton pleine de bricoles mises de côté par les dames qui, bénévolement, avaient rangé avec soin la chambre des parents de Gwendoline.

– Préjugés d'aveugles ! maugréa Mme Sharp en laissant tomber la boîte sur la table de la cuisine. Si une personne a un don, on doit lui permettre de le développer. Voilà ce que je lui ai dit ! Mais ne t'inquiète pas, ma chérie, ajouta-t-elle en voyant l'air résolument mauvais de Gwendoline, il y a toujours un moyen de se débrouiller. Voyons ce qu'il y a dans cette boîte. Peut-être tes pauvres parents ont-ils laissé exactement ce dont nous avons besoin.

Mme Sharp déversa alors le contenu de la boîte sur la table. Une étrange collection : des lettres, de la dentelle, des souvenirs. Chat ne se rappelait pas en avoir vu la moitié auparavant. Il y avait un certificat de mariage, disant que Francis John Arcand avait épousé Caroline Marie Arcand douze ans plus tôt à l'église St. Margaret de Wolvercote, et un brin de bruyère séché qui datait peut-être de ce jour-là. Chat découvrit, cachée dessous, une paire de boucles d'oreilles scintillantes qu'il n'avait jamais vu sa mère porter.

Mme Sharp les remarqua aussitôt, et son chapeau émit un cliquetis significatif.

– Des diamants ! s'exclama-t-elle. Votre mère devait avoir de l'argent ! Et si je les apportais à M. Nostrum… Oui, mais M. Larkins nous en donnerait sûrement davantage.

M. Larkins tenait une boutique de brocante – en fait, ce qu'il y vendait n'était pas toujours exactement de la brocante. Au milieu des objets en cuivre d'utilité incertaine et des faïences ébréchées, on pouvait dénicher quelques objets de valeur, et remarquer une pancarte discrète : Substances exotiques, ce qui signifiait que M. Larkins avait également en stock des ailes de chauves-souris, des tritons séchés, et autres ingrédients utilisés en sorcellerie. Cela ne faisait aucun doute : M. Larkins serait très intéressé par une paire de boucles d'oreilles en diamants. Roulant des yeux avides, Mme Sharp avança la main pour saisir les boucles d'oreilles. Gwendoline avança la main en même temps. Elle ne dit rien. Mme Sharp non plus. Leurs deux mains restèrent un moment immobiles, suspendues. Chat sentait qu'un combat invisible mais acharné était en train de se jouer. Finalement, Mme Sharp retira sa main.

– Merci, dit froidement Gwendoline en mettant les boucles dans la poche de sa robe.

– C'est bien ce que je disais, ma chérie, dit Mme Sharp pour détendre l'atmosphère, tu es vraiment très douée.

Elle entreprit d'examiner les objets un par un : une vieille pipe, des photos, deux ou trois menus, quelques billets de concert, puis un paquet de vieilles lettres entourées d'un ruban sur lesquelles elle passa rapidement son pouce.

– Des lettres d'amour, annonça-t-elle, de lui à elle.

Elle les reposa sans même les avoir regardées et saisit un deuxième paquet de lettres :

13

– D'elle à lui. Aucun intérêt.

Fasciné, Chat regardait le large pouce mauve de Mme Sharp glisser sur un troisième paquet de lettres. Il songea que les pouvoirs des sorcières devaient leur faire gagner un temps considérable.

– Du courrier d'affaires, dit Mme Sharp.

Son pouce s'arrêta, puis revint lentement sur la pile de lettres.

– Qu'est-ce que c'est que ça ? murmura-t-elle.

Elle défit le nœud rose qui entourait le paquet et en dégagea soigneusement trois lettres qu'elle déplia.

– Chrestomanci ! s'exclama-t-elle.

A peine eut-elle prononcé ce nom qu'elle plaqua une main sur sa bouche et susurra quelques mots incompréhensibles entre ses dents. Son visage était rouge. Il semblait à Chat qu'elle était tout à la fois sidérée, effrayée et avide.

– Mais pourquoi diable écrivait-il à votre père ? demanda-t-elle à voix haute quand elle parvint à se reprendre.

– Faites voir, dit Gwendoline.

Mme Sharp étala les trois lettres sur la table de la cuisine et les enfants se penchèrent pour les regarder. La première chose qui frappa Chat était l'énergie avec laquelle la signature – la même sur les trois – avait été tracée.

Il remarqua ensuite que deux des lettres étaient d'une écriture aussi vive et décidée que cette signature. La première était datée d'il y a douze ans, peu de temps après le mariage de ses parents. Elle disait :

14

Cher Frank,
Je t'en prie, ne monte pas sur tes grands chevaux. Je t'ai fait cette proposition uniquement dans le but de t'aider, de n'importe quelle façon. Fais-moi seulement savoir ce que je puis faire. Je crois que tu es en droit de réclamer mes services.

Ton dévoué Chrestomanci

La deuxième lettre était plus courte :

Cher Arcand,
Toi de même. Va au diable.

Chrestomanci

La troisième lettre datait de six ans seulement et avait été rédigée par quelqu'un d'autre. Chrestomanci l'avait seulement signée.

Monsieur,
Vous avez été averti, il y a six ans, que certains événements tels que ceux que vous nous décrivez étaient susceptibles de se produire. Vous nous avez alors fait savoir, de façon très claire, que vous ne désiriez aucune aide de notre part. Vos ennuis ne nous intéressent pas. Par ailleurs, nous ne sommes pas une institution charitable.

Chrestomanci

– Je me demande ce que votre père a bien pu lui dire.

Mme Sharp, quoique visiblement très impressionnée, n'en restait pas moins curieuse.

– Eh bien, qu'en penses-tu, ma chérie ?

Gwendoline mit ses deux mains au-dessus des lettres, comme si elle se réchauffait à un feu. Le petit doigt de chaque main frémit nerveusement.

15

– Je ne sais pas. Elles semblent importantes, surtout la première et la dernière. Terriblement importantes.

– Qui c'est, Chrestomanci ? demanda Chat.

C'était un mot difficile pour lui, et il le dit en plusieurs morceaux, en essayant de se souvenir de la façon dont Mme Sharp l'avait prononcé :

– Crest-homme-en-scie. C'est comme ça qu'il faut dire ?

– Oui, c'est ça. Et ne te préoccupe pas de savoir qui c'est. C'est sans intérêt pour toi, dit Mme Sharp.

Elle se tourna vers Gwendoline.

– Important, le mot est faible, ma chérie. Ah, si seulement je pouvais savoir ce que ton père lui a dit. Apparemment quelque chose de pas très respectueux. Et regarde ce qu'il reçoit en retour ! Ah, ces trois signatures, M. Nostrum donnerait ses yeux pour les avoir, ma chérie. Tu as une de ces chances ! Il te donnera des leçons sans difficulté avec ça. Du reste, n'importe quel nécromancien ou magicien de la ville en ferait autant.

Mme Sharp se mit à ranger allégrement les objets dans la boîte.

– Qu'est-ce que c'est que ça ?

Une petite pochette d'allumettes rouge venait de glisser du dernier paquet de lettres. Mme Sharp la prit délicatement dans sa main et l'ouvrit avec précaution. Elle contenait quelques fragiles allumettes de carton. Trois d'entre elles avaient brûlé, mais sans avoir été détachées de la pochette. L'une d'elles était carbonisée. Chat en déduisit qu'elle avait dû mettre le feu aux autres.

– Hum… dit Mme Sharp, je crois que tu devrais conserver ça avec toi, ma chérie.

Gwendoline mit prestement la petite boîte rouge dans sa poche avec les boucles d'oreilles.

– Et toi, mon ange, si tu gardais ceci ?

Mme Sharp venait de se souvenir de la présence de Chat. Avec un large sourire, elle lui tendit le brin de bruyère. Chat le porta à sa boutonnière jusqu'à ce qu'il s'effrite et tombe en morceaux.

Gwendoline semblait s'épanouir chez Mme Sharp. Ses cheveux paraissaient d'un or plus brillant, ses yeux d'un bleu plus profond, et son apparence générale respirait la joie et la confiance. Peut-être était-ce un peu au détriment de Chat, il ne savait pas. D'ailleurs il n'était pas malheureux. Mme Sharp était aussi gentille avec lui qu'avec Gwendoline. Les conseillers municipaux et leurs épouses venaient régulièrement s'assurer de sa bonne santé et lui tapoter affectueusement la tête. Ils l'envoyèrent, ainsi que Gwendoline, dans la meilleure école de Wolvercote. Chat s'y sentait plutôt bien. Il y avait toutefois un problème : comme il était gaucher, ses professeurs le punissaient chaque fois qu'ils le surprenaient à écrire de sa main gauche. Mais Chat en avait l'habitude, car il en avait été de même dans toutes les écoles. Même s'il avait de nombreux amis, il se sentait un peu seul et perdu. Alors il s'accrochait à Gwendoline : elle était sa seule famille.

Bien qu'elle fût trop occupée et trop heureuse pour se montrer franchement désagréable, Gwendoline n'était pas très patiente avec Chat. « Laisse-moi tranquille, Chat, disait-elle, sinon… »

Puis elle jetait des livres d'exercices dans un étui à musique, et filait à la porte voisine prendre sa leçon avec M. Nostrum. Celui-ci était ravi de donner des cours à Gwendoline en échange des fameuses lettres. Mme Sharp avait décidé de lui en donner une au début de chaque trimestre, en commençant par la dernière.

– Ce serait très risqué de lui donner tout en même temps. Nous garderons la meilleure pour la fin.

Gwendoline progressait très rapidement. Elle semblait si douée que son professeur jugea inutile de lui faire passer l'examen de premier niveau de magie élémentaire. Elle réussit un mois plus tard l'examen de deuxième niveau et, juste après Noël, ceux de troisième et quatrième niveau, simultanément. L'été suivant, elle commençait les cours de magie supérieure. M. Nostrum la considérait comme sa meilleure élève – il le confia à Mme Sharp par-dessus le mur du jardin – et Gwendoline revenait toujours rayonnante de ses leçons, les yeux brillants, les joues roses de plaisir. Elle se rendait chez M. Nostrum deux soirs par semaine, son étui à musique sous le bras. Car elle était censée prendre des cours de musique, ceux que Mme Sharp notait avec soin sur le livre de comptes qu'elle présentait régulièrement au conseil municipal. Étant donné que M. Nostrum n'avait jamais été payé autrement que par les lettres, Chat jugeait le procédé peu honnête.

– Il faut que je mette de côté pour mes vieux jours, dit Mme Sharp à Chat avec humeur. Je ne reçois pas grand-chose pour votre garde, tu sais. Et je ne pourrai pas compter sur la reconnaissance de ta sœur plus tard, quand elle sera devenue célèbre. Ah ça non, je ne me fais aucune illusion là-dessus !

Chat savait que Mme Sharp avait probablement raison. Et cela l'attristait car elle s'était toujours montrée très gentille. De plus, il avait récemment compris que Mme Sharp n'était pas une sorcière très douée. Le certificat sur la fenêtre de son salon, qui la proclamait « Sorcière diplômée », ne correspondait en fait qu'au niveau de sorcellerie le moins élevé. Les gens venaient chez Mme Sharp pour des sortilèges quand ils ne pouvaient financièrement se permettre d'aller chez les trois Sorcières accréditées, installées un peu plus bas dans la rue. Mme Sharp arrondissait ses maigres ressources en travaillant pour M. Larkins, le brocanteur. Elle faisait venir pour lui, de très loin, parfois même de Londres, des « substances exotiques », ces fameux ingrédients nécessaires à la pratique de la magie. Elle était très fière de ses contacts à Londres.

– Ça oui, disait-elle souvent à Gwendoline, des contacts j'en ai. Je peux me procurer quand je veux une livre de sang de dragon. Et pourtant, ajoutait-elle mystérieuse, le commerce en est absolument interdit. Tant que tu m'auras, je t'assure que tu ne manqueras de rien.

Bien qu'elle ne se fît aucune illusion sur le caractère de Gwendoline, Mme Sharp avait le secret espoir de devenir plus tard son manager. Du moins, Chat l'en soupçonnait. Et il en était désolé pour elle, parce qu'il savait qu'une fois célèbre Gwendoline se débarrasserait d'elle comme d'un vieux manteau. A l'instar de Mme Sharp, Chat n'avait aucun doute quant au destin prestigieux de Gwendoline. Alors il déclara gentiment :

– Eh bien moi, je serai là pour m'occuper de vous.

Cette idée ne l'enchantait pas particulièrement, mais il sentait que c'était son devoir de réconforter Mme Sharp. Elle lui en fut chaudement reconnaissante. Et, en guise de récompense, elle s'arrangea pour que Chat eût de véritables leçons de musique.

– Comme ça, M. le maire n'aura pas de raison de se plaindre, dit-elle.

Elle aimait à faire d'une pierre deux coups.

Chat se mit à apprendre le violon. Il s'exerçait avec ardeur tous les soirs et n'était pas mécontent de ses premiers résultats. Cependant, il ne comprenait pas pourquoi les locataires du dessus se mettaient invariablement à cogner au plancher dès que son archet effleurait les cordes. Mme Sharp, qui était un peu sourde, hochait la tête en souriant quand il jouait, et elle l'encourageait vivement.

Un soir, tandis qu'il travaillait ses gammes, Gwendoline entra en coup de vent dans sa chambre et lui hurla une formule magique à la figure. Chat s'aperçut alors avec effarement qu'il tenait un gros chat rayé par la queue. Il serrait la tête de l'animal sous son menton et lui raclait le dos avec son archet. Chat s'empressa de le lâcher. Mais l'animal eut malgré tout le temps de lui mordre le cou et de le griffer sauvagement.

– Pourquoi as-tu fait ça ? demanda Chat d'une petite voix.

Le matou s'était assis sur le rebord de la fenêtre et le fixait d'un œil mauvais.

– Parce que c'était exactement l'impression que ça me donnait ! rétorqua Gwendoline. Et je ne pouvais plus le supporter. Ici, minou ! minou !

Le chat non plus ne semblait pas apprécier Gwendoline et il griffa la main qu'elle lui tendait. Gwendoline riposta par une tape vigoureuse. L'animal s'enfuit en miaulant, poursuivi par Chat qui hurlait :

– Arrête-le, c'est mon violon ! Arrête-le !

Mais le chat disparut et ce fut la fin des leçons de violon.

Mme Sharp fut très impressionnée par cette démonstration des talents de Gwendoline. Elle grimpa sur une chaise dans le jardin, afin d'en parler à M. Nostrum pardessus le mur. Quelques heures plus tard, toutes les sorcières et tous les nécromanciens du quartier étaient informés de l'événement.

Le quartier fourmillait de magiciens et de sorcières en tout genre. Sans doute les gens qui exercent le même commerce aiment-ils à se rassembler. Lorsque Chat sortait de chez Mme Sharp et prenait à droite, il passait successivement devant les cabinets de trois Sorcières accréditées, d'un devin, d'un guérisseur, de M. Sharman magicien-tous-services, et d'une chiromancienne. S'il remontait la rue dans l'autre sens, il pouvait lire les plaques et pancartes suivantes : M. Henry Nostrum DNA (docteur en nécromancie appliquée), Mme Jacobi voyante-extra lucide-astrologue, M. Perclus fakir, M. Arnold plus connu sous le nom du « Sorcier empressé », M. Miroska « trois sorts pour le prix de deux », et M. Larkins « brocanteur ». Dans la rue, l'air était chargé du parfum caractéristique qui se dégage lors des pratiques de sorcellerie.

Tous ces gens considéraient Gwendoline avec un intérêt bienveillant. L'histoire du chat les avait considérablement impressionnés. L'animal devint la coqueluche du quartier – bien entendu, on l'appela « Violon ». Et bien qu'il fût toujours de mauvaise humeur, dédaigneux, voire franchement désagréable, il ne manqua jamais de nourriture. Mais il va de soi que Gwendoline lui ravissait la vedette. M. Larkins lui faisait des cadeaux, le Sorcier empressé, un jeune homme qui avait beaucoup de muscles et peu de cervelle, bondissait hors de chez lui quand il apercevait Gwendoline, et lui offrait un bonbon à la menthe avec un sourire stupide. Les sorcières étaient toujours à la recherche d'une formule magique simple pour elle.

Gwendoline dédaignait invariablement leurs cadeaux :
– Mais elles me prennent pour un bébé, ou quoi ? Il y a longtemps que je ne joue plus à ces bêtises ! disait-elle en jetant la formule d'un air exaspéré.

Mme Sharp, qui appréciait toute aide en sorcellerie, ramassait généralement ces formules et les cachait avec soin. Mais il arrivait parfois à Chat de trouver un de ces petits morceaux de papier abandonné dans un coin. Alors il ne résistait pas à l'envie d'essayer la formule. Il aurait tellement voulu avoir ne fût-ce qu'une miette des dons de Gwendoline ! Il se prenait souvent à rêver que ses possibilités ne s'étaient pas encore révélées et qu'un jour ou l'autre les fameuses formules se mettraient à marcher. Mais il ne se passait jamais rien. Même la formule pour changer les boutons de cuivre en or, sa préférée, refusait obstinément de se réaliser.

Les divers spécialistes de l'avenir offraient, eux aussi, des présents à Gwendoline. La voyante-extra lucide-astrologue lui donna une vieille boule de cristal, M. Miroska un paquet de cartes, et le devin lui proposa de lui prédire l'avenir. Gwendoline revint de la séance radieuse, transportée.

– Je vais devenir célèbre ! Il a dit que je pourrai gouverner le monde, si je m'y prends bien, confia-t-elle à Chat.

Même si Chat ne doutait pas un seul instant que Gwendoline deviendrait célèbre, il ne voyait pas tellement comment elle pourrait gouverner le monde. Il lui fit part de ses objections :

– Tu ne pourras gouverner qu'un seul pays, même si tu épouses le roi. Et je te signale que le prince de Galles s'est marié l'an dernier.

– Ce n'est pas le seul moyen de diriger le monde, imbécile ! répliqua Gwendoline. M. Nostrum a pas mal d'idées à mon sujet, figure-toi. Mais tout ne va pas se faire tout seul. Il me faudra surmonter de dures épreuves, un terrible retournement de situation, et il y aura aussi un Ténébreux Inconnu qui... Enfin, bon. Mais écoute, quand il m'a dit que je gouvernerais le monde, tous mes doigts ont frémi en même temps, alors je sais que c'est vrai !

La confiance rayonnante de Gwendoline semblait sans limites.

Le lendemain, Mlle Larkins, la fille du brocanteur, qui était également voyante, fit venir Chat chez elle et lui proposa de lui révéler son avenir.

CHAPITRE DEUX

Chat ne se sentait pas très rassuré. Mlle Larkins l'effrayait. Elle était jeune et jolie, avec des cheveux d'un roux flamboyant. Elle les relevait très haut en un chignon d'où s'échappaient des mèches qui s'enroulaient gracieusement autour de ses boucles d'oreilles, deux anneaux si grands qu'on eût dit des perchoirs à perroquets. C'était une voyante très douée, et elle avait toujours été l'enfant chérie du quartier, jusqu'au fameux épisode du violon qui avait propulsé Gwendoline au premier plan. Chat se rappelait même avoir vu sa mère lui offrir des cadeaux.

Chat pensait que Mlle Larkins lui faisait cette proposition afin qu'il ne soit pas jaloux de Gwendoline.

– Non, non. Merci beaucoup, dit-il en s'éloignant à reculons de la petite table couverte d'objets de divination. Tout va très bien, ce n'est pas la peine.

Mais Mlle Larkins s'avança vers Chat et le saisit par les épaules. Il tenta de se dégager. Le parfum à la violette de Mlle Larkins le prenait à la gorge, ses boucles d'oreilles se balançaient, menaçantes comme deux menottes, son corset se gonflait en grinçant.

– Petit fou ! dit-elle de sa voix chaude et mélodieuse. Je ne veux pas te faire de mal. Je veux seulement savoir.

– Mais moi pas ! glapit Chat en se tortillant comme une anguille.

– Reste tranquille, dit Mlle Larkins en plongeant les yeux droit dans les siens.

Chat s'empressa de fermer les yeux. Il tenta de toutes ses forces de se dégager. Il allait presque y parvenir, lorsque, brutalement, Mlle Larkins entra dans une sorte de transe. Chat se sentit agrippé avec une force qu'il n'aurait pu imaginer, même de la part du Sorcier empressé. Lorsqu'il ouvrit les yeux, Mlle Larkins le fixait d'un œil vide. Son corps était agité de violentes secousses qui faisaient grincer son corset comme une vieille porte battue par le vent.

– Je vous en supplie, laissez-moi ! gémit Chat.

Mais Mlle Larkins ne semblait rien entendre. Chat saisit alors les doigts qui s'enfonçaient dans ses épaules et tenta de leur faire lâcher prise. En vain.

Il ne lui restait plus qu'à contempler, impuissant, le visage figé de Mlle Larkins.

C'est alors qu'elle ouvrit la bouche et qu'une voix qui n'était pas la sienne en sortit. C'était une voix d'homme, animée mais bienveillante.

– Tu viens de m'ôter un grand poids, mon garçon, dit la voix d'un ton satisfait. Ta vie va complètement changer à présent mais tu as été terriblement imprudent. Tu en as déjà perdu quatre, il ne t'en reste plus que cinq. Il faut être plus vigilant. Tu es en danger : au moins deux menaces planent sur toi…

La voix s'éteignit. A cet instant Chat était si effrayé qu'il n'osait plus bouger. Il attendit, pétrifié, que Mlle Larkins voulût bien reprendre ses esprits. Enfin, elle se mit à bâiller et le lâcha pour mettre élégamment sa main devant sa bouche.

– Bien, dit-elle de sa voix habituelle, c'était réussi, je crois. Alors ? Qu'est-ce que j'ai dit ?

Comprenant que Mlle Larkins n'avait aucune idée des paroles qu'elle avait prononcées, Chat eut la chair de poule. Il ne pensait plus qu'à une chose : partir. Il se rua vers la porte.

Mais Mlle Larkins le rattrapa, le saisit de nouveau par le bras, et se mit à le secouer violemment.

– Raconte ! Mais raconte ! Qu'est-ce que j'ai dit ?

Elle se démenait tant que son chignon roux s'effondra par étages successifs. Son corset craquait comme du bois mort : elle était terrifiante.

– Quelle voix ai-je prise ? demanda-t-elle.

– Celle d'un homme, balbutia Chat. Plutôt douce et… normale.

Mlle Larkins semblait abasourdie.

– D'un homme ? Pas celle de Bobby ou Doddo – enfin, pas celle d'un enfant, je veux dire ?

– Non, non ! affirma Chat.

– Comme c'est étrange ! s'étonna Mlle Larkins. Cela ne m'était encore jamais arrivé. Et qu'ai-je dit ?

Chat répéta ce que la voix avait dit. Il était certain qu'il n'oublierait jamais ces mots, même s'il vivait jusqu'à quatre-vingt-dix ans.

Cela le consola un peu de voir que Mlle Larkins était aussi perplexe que lui quant à leur signification.

– Eh bien, je suppose que c'était un avertissement, dit-elle d'un ton hésitant.

Elle semblait également déçue :

– Et rien d'autre ? Rien au sujet de ta sœur ?

– Non, rien, répondit Chat.

– Bon, on n'y peut rien ! grommela Mlle Larkins qui libéra Chat afin de remettre ses cheveux en ordre.

Prudent, Chat attendit qu'elle eût les deux mains occupées à la confection de son chignon pour filer. Il bondit dans la rue, passablement troublé.

Mais, immédiatement, sa fuite fut arrêtée par deux autres personnes.

– Ah, mais c'est le jeune Eric Arcand ! s'exclama M. Nostrum en s'approchant de lui. Tu connais mon frère William, n'est-ce pas, mon petit Chat ?

Et, de nouveau, Chat fut saisi par le bras. Il se força à sourire. Non que M. Nostrum lui déplût particulièrement, mais il lui parlait toujours sur un ton jovial, en

l'appelant « jeune Arcand » tous les trois mots, et Chat ne trouvait rien à lui dire en retour. M. Nostrum était petit et rondouillet, avec deux touffes de cheveux gris au-dessus des oreilles. Il ne vous regardait jamais avec les deux yeux simultanément. Pendant que le droit vous fixait, le gauche battait la campagne, et Chat trouvait que cela rendait la conversation encore plus difficile. M. Nostrum le regardait-il ? L'écoutait-il ? Son esprit n'était-il pas plutôt ailleurs, avec cet œil vagabond ?

– Oui, oui, je connais votre frère.

Chat se souvenait de cet autre M. Nostrum. M. William Nostrum rendait très régulièrement visite à son frère. Chat le voyait presque une fois par mois. C'était un magicien fortuné, qui tenait un cabinet à Eastbourne. Mme Sharp prétendait que M. Henry Nostrum vivait aux crochets de ce frère si riche et qu'il lui grappillait non seulement de l'argent, mais également des formules magiques efficaces… Quoi qu'il en fût, Chat trouvait qu'il était encore plus difficile de parler avec M. William Nostrum qu'avec son frère. Il était deux fois plus imposant et portait toujours une énorme montre en argent au bout d'une chaîne, mise en travers d'un gilet dont les boutons semblaient près de sauter. Pour le reste, il était la réplique exacte de M. Henry Nostrum, à cette différence qu'on ne pouvait se fier à aucun de ses yeux. Chat s'était toujours demandé comment M. William pouvait y voir.

– Bonjour, monsieur. Comment allez-vous ? dit-il poliment.

– Très bien, répondit M. William Nostrum d'une voix sombre, comme s'il voulait dire le contraire.

M. Henry Nostrum leva vers son frère un regard désolé.

– Le fait est, jeune Arcand, expliqua-t-il, que nous venons de subir une petite déconvenue. Et mon frère en est très affecté.

Il baissa la voix. Son œil gauche semblait examiner quelqu'un d'autre à côté de Chat.

– C'est au sujet de ces lettres de… tu sais qui… Nous n'arrivons à rien. Gwendoline semble incapable de nous renseigner… Et toi, mon jeune ami, saurais-tu par hasard pourquoi ton cher et regretté père a eu des relations avec – avec, disons… l'auguste auteur de ces lettres ?

– Je suis désolé, mais je n'en ai pas la moindre idée, dit Chat.

– Aurait-il pu être un parent ? hasarda M. Henry Nostrum. Arcand, c'est un beau nom.

– Je pense que c'est aussi un nom qui ne porte pas bonheur, dit Chat, nous n'avons plus aucun parent.

– Mais du côté de votre chère mère ? insista M. Henry Nostrum, l'œil gauche toujours absent.

Pendant ce temps son frère, l'air sombre, réussissait l'exploit de regarder simultanément le trottoir et les cheminées sur les toits.

– Tu vois bien que ce pauvre garçon ne sait rien, Henry, soupira-t-il. Je doute même qu'il soit capable de nous donner le nom de famille de sa mère.

– Oh, ça je le sais, protesta Chat, je l'ai vu sur leur certificat de mariage. Elle s'appelait Arcand aussi.

– Bizarre ! dit M. Henry en glissant un œil vers son frère.

– Bizarre, et d'aucune aide pour nous, renchérit M. William.

Chat voulait s'en aller, il pensait sincèrement qu'il avait subi assez de questions étranges pour s'en torturer l'esprit jusqu'à l'année prochaine.

– Eh bien… si ça vous intrigue tellement, pourquoi n'écrivez-vous pas à M. euh… Chrest…

– Chut ! fit M. Henry Nostrum violemment, tandis que son frère semblait pris d'une soudaine quinte de toux.

– A l'auguste personne, je veux dire, s'empressa de rectifier Chat.

Il regardait avec inquiétude M. William : ses yeux étaient partis chacun d'un côté de son visage, et Chat avait peur qu'il n'entre en transe comme Mlle Larkins.

– Voilà ce qui nous aidera, Henry ! Voilà ce qui nous donnera la victoire ! s'écria M. William.

Et, d'un geste triomphal, il brandit sa chaîne en argent au bout de laquelle se balançait sa montre.

– Et vive l'argent ! cria-t-il encore.

– J'en suis très heureux, dit Chat poliment. Bon, il faut que je m'en aille à présent.

Et il détala comme un lapin. Quand il sortit, cet après-midi-là, pour aller voir ses amis, il fit un grand détour afin de ne pas passer devant la maison de M. Nostrum et la boutique de M. Larkins. Il aurait volontiers fait des kilomètres pour être sûr de ne pas les rencontrer. D'ailleurs, rien que d'y penser, il souhaitait presque la reprise de l'école qui le mettrait à l'abri de rencontres si pénibles.

Lorsque Chat revint à la maison, ce soir-là, Gwendoline rentrait tout juste de sa leçon avec M. Nostrum. Elle était comme toujours ravie, rayonnante, mais elle se tourna vers Chat en prenant un air mystérieux et important :

– Ton idée d'écrire à Chrestomanci était très bonne, je me demande pourquoi je n'y ai pas pensé moi-même, dit-elle. De toute façon, je viens de le faire.

– Pourquoi l'as-tu fait ? Pourquoi pas M. Nostrum ? demanda Chat.

– Parce que c'était plus naturel venant de moi, répondit Gwendoline. Et puis ça n'a aucune importance, puisque M. Nostrum m'a dit ce qu'il fallait écrire.

– Mais enfin, pourquoi veut-il savoir ? dit Chat.

– Mais toi, tu n'as pas envie de savoir ? rétorqua Gwendoline, surexcitée.

– Non ! coupa Chat. Aucune envie.

Cette discussion venait de lui remettre en mémoire les événements de la matinée et, de nouveau, il songea avec plaisir au début du premier trimestre. Il soupira :

– Je voudrais que les marrons soient déjà mûrs.

– Les marrons ! fit Gwendoline d'un air dégoûté. Comme tu es terre à terre ! Et puis ils ne seront pas mûrs avant six semaines, tes marrons !

– Je sais, dit Chat.

Les jours suivants, il continua de faire un détour chaque fois qu'il quittait la maison.

Pendant les belles journées dorées de la fin de l'été, Chat et ses amis allaient souvent au bord de la rivière. Un jour, ils découvrirent en passant par-dessus un mur un verger au milieu duquel il y avait un arbre chargé de pommes blanches et sucrées – une variété qui mûrit tôt. Ils commencèrent à en remplir leurs poches et leurs chapeaux avec ardeur, mais furent bientôt dérangés par un jardinier furieux, armé d'un râteau, et ils prirent leurs jambes à leur cou. Chat se sentait très heureux en rapportant à la maison son chapeau plein à craquer. Mme Sharp adorait les pommes. Il espérait seulement qu'elle n'aurait pas l'idée de faire des bonshommes en pain d'épice pour le remercier. En règle générale, ils étaient censés être drôles : ils devaient sauter hors de l'assiette et courir quand on essayait de les attraper. Si bien que, lorsqu'on était enfin parvenu à mettre la main dessus, on

avait parfaitement le droit de les manger. Le combat
avait été loyal. Mais les bonshommes en pain d'épice de
Mme Sharp ne se comportaient pas avec autant de
vigueur. Ils gisaient simplement dans l'assiette en
remuant faiblement les bras, et Chat ne se sentait jamais
le cœur de les manger. Chat était très occupé par toutes
ces pensées et, bien qu'il eût remarqué l'attelage à quatre
chevaux au coin de la rue, devant la maison du Sorcier
empressé, il n'y avait pas prêté attention. Tenant à deux
mains son chapeau rempli de pommes, il ouvrit d'un bon
coup d'épaule la porte de la cuisine et s'écria joyeusement :

— C'est moi ! Regardez ce que j'apporte, madame
Sharp !

Mais Mme Sharp n'était pas là. A sa place, au milieu de
la cuisine, se tenait un homme très grand et extraordinairement bien vêtu. Chat le regarda, déconcerté. L'homme

était peut-être un riche conseiller municipal. Qui d'autre pouvait porter un pantalon avec de si belles rayures nacrées, un manteau d'un si beau velours et un haut-de-forme aussi luisant que ses chaussures ? L'homme avait des cheveux sombres ; ils étaient très lisses et brillaient eux aussi. Chat ne douta pas un instant d'être en présence du Ténébreux Inconnu de Gwendoline, venu l'aider à gouverner le monde. Et la place de ce monsieur n'était certainement pas à la cuisine. Les visiteurs étaient toujours introduits directement au salon.

– Oh, bonjour, monsieur. Voulez-vous venir par ici, s'il vous plaît, haleta-t-il.

Le Ténébreux Inconnu le regarda d'un air surpris. « Pas étonnant », songea Chat en jetant un coup d'œil autour de lui : la cuisine était en désordre, comme d'habitude, et le fourneau couvert de cendres. Chat nota avec consternation que Mme Sharp avait préparé des bonshommes en pain d'épice. Les ingrédients pour la formule magique étaient posés sur la table – paquets de journaux poussiéreux, récipients au contenu peu appétissant – et le pain d'épice était étalé au milieu de la table, près du morceau de viande du dîner sur lequel s'affairaient quelques mouches.

– Qui es-tu ? demanda le Ténébreux Inconnu. Il me semble que je devrais te connaître. Qu'as-tu dans ton chapeau ?

Chat était trop occupé à détailler le désastreux tableau qu'offrait la cuisine pour écouter attentivement, mais il saisit la dernière question et retrouva alors son sourire :

– Des pommes, dit-il en les montrant à l'Inconnu. Je les ai gaulées.

L'Inconnu prit un air sombre.

– Gaulées ? C'est presque du vol, ça !

Chat le pensait également, mais il trouvait assez triste, même de la part d'un conseiller municipal, de le lui faire remarquer.

– Je sais. Mais je parie que vous l'avez fait aussi quand vous aviez mon âge.

L'Inconnu toussa une ou deux fois et changea de sujet :

– Tu ne m'as toujours pas dit qui tu étais.

– Ah bon ? Désolé ! fit Chat. Je suis Eric Arcand. Mais on m'appelle toujours Chat.

– Alors Gwendoline Arcand est ta sœur ? demanda l'Inconnu.

Il avait l'air de plus en plus sérieux, voire tourmenté. Chat le soupçonnait de penser que la cuisine de Mme Sharp était un lieu de perdition.

– Oui, oui. Bon, euh... Si vous voulez bien me suivre... dit Chat, espérant arracher l'Inconnu à ce spectacle désolant. C'est plus propre par ici.

– J'ai reçu une lettre de ta sœur, poursuivit l'Inconnu. Elle donnait à croire que tu t'étais noyé avec tes parents.

– Vous avez dû faire une erreur, dit Chat distraitement. Je ne me suis pas noyé parce que je me suis accroché à Gwendoline ; et comme c'est une sorcière... Mais je vous assure que c'est plus propre par ici.

– Je vois, dit l'Inconnu. Au fait, je m'appelle Chrestomanci.

– Oh ! s'exclama Chat.

C'était une vraie catastrophe. Il jeta son chapeau au milieu de la préparation pour bonshommes en pain d'épice, avec le secret espoir de la rendre inutilisable.

– Alors il faut absolument que vous veniez tout de suite au salon !

– Et pourquoi ? s'enquit Chrestomanci, abasourdi.

– Mais parce que... insista Chat, au bord de l'exaspération. Vous êtes quelqu'un de beaucoup trop important pour rester ici !

– Qu'est-ce qui te fait croire que je suis un homme important ? demanda Chrestomanci en fronçant les sourcils.

Chat commençait à avoir envie de le secouer.

– Mais vous devez l'être. Vous portez de très beaux vêtements. Et Mme Sharp a dit que vous l'étiez. Elle a dit que M. Nostrum donnerait jusqu'à ses yeux pour vos trois lettres.

– Et les a-t-il donnés ? s'inquiéta Chrestomanci. Ça n'en valait vraiment pas la peine.

– Non, dit Chat, il a seulement donné des leçons à Gwendoline en échange.

– De ses yeux ? s'étonna Chrestomanci. Ce doit être tout à fait inconfortable !

Fort heureusement, une cavalcade se fit entendre à ce moment précis, et Gwendoline apparut sur le pas de la porte, à bout de souffle, mais rayonnante.

– Monsieur Chrestomanci ?

– Juste Chrestomanci, dit l'Inconnu. Oui, c'est moi. Serais-tu Gwendoline ?

– Oui. M. Nostrum m'a prévenue qu'une voiture venait d'arriver, haleta-t-elle.

Elle était suivie de près par Mme Sharp, également essoufflée. Toutes les deux prirent la conversation en main, et Chat leur en fut reconnaissant. Chrestomanci consentit enfin à se faire accompagner jusqu'au salon, où Mme Sharp lui offrit avec déférence une tasse de thé et une assiette de ses souffreteux bonshommes en pain d'épice. Chat nota avec beaucoup d'intérêt que Chrestomanci ne semblait pas avoir, lui non plus, le cœur à les manger. Il accepta une tasse de thé – sans lait ni sucre – et demanda des précisions sur les circonstances de l'arrivée de Chat et Gwendoline chez Mme Sharp. Cette dernière cherchait à donner l'impression qu'elle s'occupait bénévolement des enfants, par pure générosité. Elle espérait ainsi que Chrestomanci aurait l'idée de la dédommager de sa peine, tout comme le conseil municipal.

Mais Gwendoline avait décidé d'être honnête.

– La ville paie, dit-elle avec son plus radieux sourire. Tout le monde a été tellement bouleversé par l'accident.

Chat était content de cet éclaircissement, bien qu'il soupçonnât Gwendoline de commencer à considérer Mme Sharp comme un vieux manteau.

– Il faut donc que j'aille parler au maire, dit Chrestomanci.

Il se leva et lustra son superbe chapeau sur le revers de sa manche.

Mme Sharp poussa un long soupir. Elle aussi savait ce que Gwendoline était en train de faire.

– Ne vous inquiétez pas, madame Sharp. Personne ne veut vous priver de vos ressources, ajouta Chrestomanci.

Il serra la main de Gwendoline et de Chat, et leur dit :

– J'aurais dû venir vous voir plus tôt, pardonnez-moi. Mais, voyez-vous, votre père a été si désagréable envers moi... Bon. J'espère vous revoir bientôt.

Puis il remonta dans sa voiture, laissant Mme Sharp amère, Gwendoline aux anges et Chat terriblement anxieux.

– Pourquoi es-tu si contente ? demanda Chat à Gwendoline.

– Mais parce que notre condition d'orphelins l'a ému ! s'exclama-t-elle. Il va nous adopter ! Ma fortune est faite !

– Cesse de débiter des âneries, dit Mme Sharp d'un ton

cassant. Ta fortune n'a pas bougé d'un pouce, ma fille. Il est peut-être venu nous voir, avec toutes ses fanfreluches, mais il n'a rien promis. Rien du tout !

Gwendoline souriait, confiante :

– Vous n'avez pas vu la lettre bouleversante que je lui ai écrite.

– Oh, je peux l'imaginer ! Mais ce n'est pas un homme qui se laisse bouleverser, rétorqua Mme Sharp.

Chat se sentait plutôt de son avis – en grande partie parce qu'il avait la pénible impression d'avoir, d'une certaine manière, offensé Chrestomanci pendant qu'il était resté seul avec lui, peut-être même aussi gravement que son père l'avait fait des années plus tôt. Il espérait que Gwendoline ne s'en rendrait pas compte, car il lui faudrait alors craindre des représailles.

Mais, à son grand étonnement, la prédiction de Gwendoline se réalisa. Le maire vint le jour même leur annoncer que Chrestomanci s'était arrangé pour que Gwendoline et Chat vivent chez lui, comme des membres de sa propre famille.

– Eh bien je constate que je n'ai pas besoin de vous dire quelle chance vous avez, mes enfants, s'exclama-t-il en voyant Gwendoline pousser des cris de joie et serrer l'austère Mme Sharp dans ses bras jusqu'à l'étouffer.

Chat se sentait plus anxieux que jamais. Il tira fébrilement M. le maire par la manche.

– Excusez-moi, monsieur, mais je ne comprends pas qui est Chrestomanci.

Le maire lui tapota la tête affectueusement.

– Une personnalité tout à fait éminente, affirma-t-il, les yeux brillants. Tu fréquenteras sous peu toutes les têtes couronnées d'Europe ! Que penses-tu de cela ?

Chat ne savait que penser. Il ne se sentait guère plus

renseigné et ces paroles ne firent qu'accroître son angoisse. Il se dit que Gwendoline devait effectivement avoir écrit une lettre bien touchante.

C'est donc ainsi que survint le second grand changement dans la vie de Chat. Et son avenir lui sembla soudain terriblement lugubre.

Toute la semaine fut occupée en achats de nouveaux vêtements, sous l'œil expert des épouses des conseillers municipaux. Tandis que Gwendoline était de jour en jour plus excitée, plus triomphante, Chat sentait que Mme Sharp commençait à lui manquer, ainsi que tous les autres, peut-être même Mlle Larkins. Ils lui manquaient comme s'il les avait déjà quittés. Quand l'heure fut venue de monter dans le train, la ville leur offrit une très jolie cérémonie d'adieu, avec fanfare et drapeaux. Chat en fut bouleversé. Il était assis, tendu, sur le bord de son siège, avec l'intuition qu'il allait au-devant de jours étranges, peut-être même de jours de détresse.

Cependant, Gwendoline arrangeait les plis de sa belle robe neuve, replaçait soigneusement son nouveau chapeau sur ses boucles blondes et s'installait avec grâce sur son siège.

– J'ai réussi ! souffla-t-elle joyeusement. N'est-ce pas merveilleux, Chat !

– Non, dit tristement Chat. La maison me manque déjà. Qu'est-ce que tu as fait ? Je ne vois vraiment pas ce qui te rend si heureuse.

– Tu ne pourrais pas comprendre, dit Gwendoline. Mais laisse-moi au moins te dire une chose : j'ai enfin quitté cette ville de morts vivants ! Ah, Wolvercote et ses conseillers municipaux bornés, ses sorciers minables ! J'ai réussi à mettre Chrestomanci sur ma route. Tu l'as bien vu, non ?

– Je n'ai rien remarqué de particulier, dit Chat. Sauf que tu as été très gentille avec lui.

– Oh, tais-toi ! Sinon ce ne sont pas des crampes que je te donnerai, cette fois ! coupa Gwendoline.

Lorsque le train se mit enfin en marche, Gwendoline agita gracieusement la main en direction de la fanfare, comme l'eût fait une princesse. Chat comprit qu'elle se préparait à gouverner le monde.

CHAPITRE TROIS

Le train roula pendant près d'une heure, puis il s'arrêta en gare de Bowbridge, où ils devaient descendre.

– C'est ridiculement petit, fit remarquer Gwendoline d'un ton acide.

– Bowbridge ! cria un garçon qui courait le long du quai. Bowbridge ! Les enfants Arcand sont priés de descendre.

– Les enfants Arcand ! s'exclama Gwendoline, outrée. Ne peuvent-ils pas me traiter avec un peu plus de respect ?

Néanmoins, l'attention la comblait d'aise. Chat remarqua qu'en enfilant ses gants de vraie dame elle tremblait d'excitation. Il la suivit sans conviction sur le quai balayé par le vent, pendant que le garçon descendait leurs malles. Gwendoline s'approcha de lui et dit avec emphase :

– Nous sommes les enfants Arcand.

Mais son effet tomba à l'eau. Le garçon leur fit simplement signe de le suivre et s'engouffra dans un couloir à travers lequel le vent soufflait encore plus fort que sur le quai. Gwendoline était obligée de tenir son chapeau à deux mains. Un jeune homme hirsute, dont l'imperméable claquait au vent, s'avança vers eux.

– Nous sommes les enfants Arcand, lui dit Gwendoline.

– Gwendoline et Eric ? Ravi de vous connaître ! répondit le jeune homme. Mon nom est Michael Saunders. Je suis le précepteur des enfants et, à partir de maintenant, le vôtre aussi.

– Des enfants ? demanda Gwendoline d'une voix hautaine.

Mais M. Saunders, qui était visiblement une de ces personnes qui ne tiennent jamais en place, était déjà parti s'occuper des malles. Gwendoline en fut quelque peu froissée. Lorsque M. Saunders revint pour les conduire hors de la gare, ils aperçurent une longue automobile noire, rutilante, qui les attendait le long du trottoir, et Gwendoline oublia aussitôt ses inquiétudes. Cet accueil lui convenait parfaitement.

Chat, lui, aurait préféré une voiture à cheval. Le moteur toussait, pétaradait, dégageant une forte odeur d'essence, et Chat se sentit presque aussitôt malade. Son malaise empira lorsqu'ils quittèrent Bowbridge pour s'engager en cahotant sur une route de campagne sinueuse. Il se consola un peu en constatant que l'auto roulait très vite. Au bout de quelques minutes, M. Saunders déclara :

– Regardez, c'est le château de Chrestomanci. C'est d'ici qu'on en a la meilleure vue.

Deux visages, l'un blême, l'autre rose, se tournèrent dans la direction indiquée. Sur une colline leur faisant face, un grand château gris dressait ses tourelles. Comme la route tournait, Gwendoline et Chat virent qu'il y avait sur le côté une aile neuve, avec des rangées de hautes fenêtres, sur le toit de laquelle flottait un drapeau. Ils aperçurent également des arbres splendides – des rangées de cèdres sombres et de grands ormes – entre lesquels on devinait des pelouses et des massifs de fleurs.

– Ça a l'air merveilleux, dit Chat en réprimant un haut-le-cœur, plutôt surpris par le silence de Gwendoline.

Il espérait que la route menant au château ne serait pas trop sinueuse. Elle ne l'était pas. En un éclair, l'automobile contourna la place d'un village, puis franchit un portail pour suivre une longue allée bordée d'arbres, au bout de laquelle on apercevait la grande porte de la partie ancienne du château. Arrivée devant cette porte, la voiture effectua un bruyant demi-tour sur le gravier. Gwendoline, pressée, se pencha en avant, prête à sortir la première. Il y aurait certainement un maître d'hôtel, et peut-être même des valets. Elle mourait d'impatience de faire son entrée.

Mais l'auto continua, dépassa les vieux murs de la bâtisse et s'arrêta devant une petite porte, là où commençait la partie récente du château. On eût dit une porte dérobée. Elle était envahie de tous côtés par les rhododendrons.

– Je vous fais entrer par ici, expliqua gaiement M. Saunders, parce que c'est la porte que vous utiliserez la plupart du temps. J'ai pensé que vous pourriez mieux vous repérer ainsi.

Cela était égal à Chat. Il trouvait même que cette petite porte faisait plus intime. Mais Gwendoline, frustrée de sa grande entrée, foudroya M. Saunders du regard en se demandant si elle n'allait pas lui jeter un sort particulièrement déplaisant. Elle se ravisa : elle voulait tout de même faire bonne impression. Ils sortirent de l'automobile, et M. Saunders – dont l'imperméable flottait toujours d'une façon bizarre, bien qu'il n'y eût plus un souffle de vent – les introduisit dans le château. Ils traversèrent un vaste corridor impeccablement ciré au bout duquel une dame tout à fait imposante les attendait. Elle portait une robe rouge très ajustée, et ses cheveux d'un noir de jais formaient une masse impressionnante au sommet de son crâne. Chat supposa qu'il s'agissait de Mme Chrestomanci.

– Voici Mlle Bessemer, la gouvernante, dit M. Saunders. Eric et Gwendoline, Mlle Bessemer. J'ai peur qu'Eric n'ait pas très bien supporté le voyage en auto.

Chat, qui ne soupçonnait pas que son malaise fût aussi apparent, se sentit très embarrassé. Gwendoline, horriblement déçue de se voir accueillie par une gouvernante, tendit une main glacée à Mlle Bessemer.

Mlle Bessemer, telle une impératrice, leur serra la main. Chat se disait justement qu'elle était la dame la plus imposante qu'il eût jamais rencontrée lorsqu'elle se tourna vers lui :

– Pauvre Eric, dit-elle avec un gentil sourire. Les voyages en automobile me causent le même désagrément. Tu vas te sentir mieux, maintenant que tu es arrivé. Mais si jamais ce n'était pas le cas, dis-le-moi, je te donnerai quelque chose. A présent, venez vous installer dans vos chambres et faire un brin de toilette.

Ils la suivirent à travers une série d'escaliers, puis d'immenses corridors, avant de gravir d'autres escaliers. Chat n'avait jamais vu d'intérieur aussi luxueux. Un long tapis se déroulait sans cesse sous leurs pas – un tapis d'un vert tendre, comme l'herbe sous la rosée du matin – et, sur les côtés, le sol était si bien ciré que le tapis, les murs immaculés et les tableaux qui y étaient accrochés s'y reflétaient. Tout était parfaitement silencieux. Ils n'entendaient que les bruits étouffés de leurs pas et le frou-frou de la robe rouge.

Mlle Bessemer ouvrit enfin la porte d'une pièce tout illuminée de soleil.

– Voici ta chambre, Gwendoline. Elle communique directement avec ta salle de bains.

43

– Merci, dit Gwendoline.

Elle fit lentement quelques pas à l'intérieur, telle une princesse prenant possession de ses appartements. Chat jeta un coup d'œil furtif dans la chambre. Elle était extraordinairement grande, et un somptueux tapis d'Orient en recouvrait presque tout le sol.

– Le soir, lorsqu'il n'y a pas d'invités, les enfants dînent avec les adultes, les informa Mlle Bessemer. Le repas est donc servi assez tôt. Mais je suis sûre que vous prendriez quand même une bonne tasse de thé. Dans quelle chambre dois-je le faire porter ?

– Dans la mienne, s'il vous plaît, répondit immédiatement Gwendoline.

Il y eut un bref instant de silence, puis Mlle Bessemer ajouta :

– Eh bien, nous pouvons aller voir ta chambre, Eric. Elle se trouve juste au-dessus.

Ils gravirent un petit escalier en colimaçon.

Chat avait l'impression qu'il rejoignait l'ancien château, et cela lui plaisait beaucoup. Il espérait que sa chambre en ferait partie. Il ne fut pas déçu : Mlle Bessemer le fit entrer dans une grande pièce ronde dont les trois fenêtres laissaient voir, sur les côtés, des murs d'un mètre d'épaisseur. Chat ne put s'empêcher de courir vers l'une d'elles et de grimper sur le bord pour découvrir la vue. On apercevait une magnifique étendue de gazon au pied des grands cèdres, tel un drap de velours vert, et de superbes massifs de fleurs qui descendaient en escalier le versant de la colline. Chat se retourna pour examiner la chambre. Un tapis flamboyant en recouvrait le sol, et les murs arrondis étaient blanchis à la chaux, ainsi que la large cheminée. Le lit était recouvert d'un tissu multicolore. Il y avait également une table, une

commode et une bibliothèque pleine de livres plus atti-
rants les uns que les autres.

– Oh, elle me plaît beaucoup ! affirma Chat.

– Malheureusement, ta salle de bains est dans le couloir,
dit Mlle Bessemer, comme s'il s'agissait là d'un inconvé-
nient majeur.

Chat lui sourit timidement. Il n'avait jamais eu de salle
de bains pour lui seul, et cette remarque lui paraissait des
plus bizarres.

Dès que Mlle Bessemer eut disparu, il se précipita vers
la fameuse salle de bains. Il fut saisi d'inquiétude en
découvrant qu'il avait à sa disposition trois serviettes
rouges de taille différente ainsi qu'une éponge aussi
grosse qu'un melon. La baignoire avait des pieds qui ressemblaient à ceux d'un lion. L'un des coins de la pièce
était carrelé et tendu de rideaux rouges pour la douche.

Chat ne put s'empêcher d'étrenner sur-le-champ ces merveilles, et la salle de bains se trouva généreusement baptisée. Il revint dans sa chambre, tout mouillé. Ses bagages étaient là, et une jeune femme aux cheveux roux était en train de les défaire. Elle dit à Chat qu'elle s'appelait Mary et lui demanda si la façon dont elle rangeait ses affaires lui convenait. Bien qu'elle fût tout à fait charmante, Chat se sentait très intimidé. Ses cheveux roux lui rappelaient Mlle Larkins, et il ne savait trop que lui dire.

– Euh… Puis-je descendre prendre le thé ?

– A ton aise, répondit la jeune femme, plutôt froidement, sembla-t-il à Chat.

Il dévala l'escalier avec le sentiment pénible d'avoir fait mauvaise impression dès le départ.

Les bagages de Gwendoline étaient étalés au milieu de sa chambre. Gwendoline se tenait assise à une table ronde près de la fenêtre. Devant elle était posé un plateau avec une théière en étain, une assiette de tranches de pain bis beurrées, une soucoupe pleine de gâteaux secs et deux tasses.

– J'ai dit à la fille que je rangerais mes affaires moi-même, lança-t-elle. J'ai des secrets à l'intérieur, et je n'avais pas envie qu'elle y mette le nez. Je lui ai demandé d'apporter le thé tout de suite. Je mourais de faim. Regarde, tu te rends compte ? Il n'y a même pas de confiture !

– Peut-être que les gâteaux sont bons, dit Chat, conciliant.

Mais ils ne l'étaient pas. Enfin, pas particulièrement.

– Nous allons mourir de faim au milieu du luxe ! soupira Gwendoline.

Luxe était bien le mot qui venait à l'esprit quand on regardait sa chambre. La tête et le pied du lit étaient garnis de velours bleu et ornés de boutons dorés, ainsi que les chaises. Le dessus-de-lit était également en velours bleu, et les murs étaient tendus d'un tissu de la même couleur. La coiffeuse était digne d'une princesse, avec ses petits tiroirs dorés, ses bords sculptés en forme de tresses et son grand miroir ovale surmonté d'une couronne. Gwendoline admit que la coiffeuse lui plaisait, mais elle montra certaines réserves à l'égard de la penderie, sur laquelle étaient peintes des guirlandes et des danseurs qui ressemblaient à des sauterelles.

– C'est fait pour y pendre des vêtements, pas pour être regardé. Ça m'incommode… dit-elle. Mais j'avoue que la salle de bains est adorable.

La salle de bains était carrelée de bleu et de blanc. La baignoire était creusée dans le sol, et des rideaux bleus – pour le cas où l'on voulait prendre une douche – la faisaient ressembler à un berceau. Les serviettes étaient assorties au carrelage. Chat garda cependant une petite préférence pour sa propre salle de bains, peut-être parce qu'il lui fallut passer un long moment dans celle de Gwendoline. Sa sœur l'avait en effet enfermé à l'intérieur, le temps de défaire ses mystérieux bagages. A travers le chuintement de la douche – Gwendoline n'aurait qu'à s'en prendre à elle-même lorsqu'elle retrouverait sa salle de bains entièrement inondée – Chat l'entendit élever la voix et proférer quelques paroles d'indignation : quelqu'un était entré pour reprendre le triste plateau du thé et l'avait surprise, sa malle grande ouverte. Quand Gwendoline rendit enfin sa liberté à Chat, elle semblait toujours en colère.

– Je n'ai pas l'impression que les servantes soient très polies, ici, dit-elle. Si cette fille ose me dire encore un seul mot, elle va se retrouver avec une verrue sur le nez –

même si elle s'appelle Euphémie ! Oh et puis d'ailleurs, ajouta Gwendoline charitablement, porter un prénom aussi disgracieux qu'Euphémie me semble une punition tout à fait suffisante. Il faut que tu ailles mettre ton nouveau costume, Chat. Elle a dit qu'on dînait dans une demi-heure et qu'il fallait se changer. Franchement, tu as déjà vu quelque chose de plus guindé, de… de plus contraignant ?

– Ce n'est pas ce que tu voulais ? dit Chat avec amertume. Il me semble que…

– On peut être une personne de haut rang sans être guindé, coupa Gwendoline. Voyons, quelle robe vais-je mettre ? Je porterai ma robe bleue, avec le col en dentelle. Et je maintiens que le nom d'Euphémie est un châtiment assez pénible pour celle qui en est affublée, si déplaisante soit-elle.

Chat gravissait de nouveau les marches de l'escalier en colimaçon quand, soudain, le château fut rempli d'un bourdonnement étrange. C'était le premier bruit que Chat entendait depuis son arrivée. Cela l'inquiéta. Il apprit plus tard qu'il s'agissait du gong qui avertissait les membres de la famille qu'il leur restait une demi-heure pour se changer avant le dîner. Chat n'avait, bien sûr, pas besoin d'une demi-heure pour enfiler son costume. Il décida donc de prendre une seconde douche, mais elle lui procura beaucoup moins de plaisir que la première. Lorsque la femme de chambre qui avait la malchance de s'appeler Euphémie vint les chercher pour les conduire au salon, Chat se sentit tout d'un coup malheureux et complètement abandonné.

Gwendoline, dans sa jolie robe bleue, évoluait avec aisance et toisait les gens comme si elle les connaissait depuis toujours. Chat se cachait derrière elle. La pièce lui semblait pleine de monde. Il ne voyait pas comment tous

ces gens pouvaient faire partie de la famille. Il y avait une vieille dame qui portait des gants de dentelle, un petit homme aux sourcils broussailleux qui discutait d'une voix forte de valeurs boursières, M. Saunders dont les poignets et les chevilles dépassaient largement de son beau complet noir, et bien d'autres personnes.

Chat aperçut Chrestomanci, tout à fait imposant dans un costume de velours rouge sombre. Chrestomanci sembla à son tour apercevoir Chat et Gwendoline ; il les regarda longuement, avec un vague sourire un peu perplexe, si bien que Chat fut convaincu qu'il avait oublié qui ils étaient. Enfin, il leur fit signe d'approcher.

– Oh, dit-il. Euh… voici ma femme.

Il les présenta à une petite dame potelée au visage très doux. Elle portait une somptueuse robe de dentelle – que les yeux de Gwendoline examinèrent avec beaucoup de respect. Néanmoins, c'était une des femmes les plus ordinaires qu'ils aient jamais vue. Elle leur sourit très gentiment.

– Eric et Gwendoline, n'est-ce pas ? Il faudra que vous m'appeliez Milly, mes enfants.

Ils se sentirent soulagés, car ils n'avaient pas la moindre idée de la façon dont ils devaient s'adresser à elle.

– Et maintenant, il faut que vous fassiez la connaissance de Julia et de Roger, dit-elle.

Deux enfants s'approchèrent. Ils étaient l'un et l'autre rondelets, plutôt pâles, et semblaient souffrir de petites difficultés respiratoires. La fille portait une robe en dentelle comme celle de sa mère, et le garçon, un costume de velours bleu. Mais, malgré ces vêtements, ils avaient tous deux l'air encore plus ordinaires que leur mère. Ils regardèrent poliment Gwendoline et Chat, et tous les quatre dirent ensemble :

– Bonjour.

Puis il sembla qu'il n'y avait rien d'autre à dire. Heureusement, un valet arriva bientôt, ouvrit la grande porte à double battant et leur annonça que le dîner était servi. Gwendoline le regarda avec indignation :

– Pourquoi ne nous a-t-il pas ouvert la porte à nous ? chuchota-t-elle à l'oreille de Chat comme tous entraient dans la salle à manger. Pourquoi nous a-t-on laissés avec la gouvernante ?

Chat ne répondit pas. Il était trop occupé à suivre Gwendoline pas à pas. Les convives s'installèrent peu à peu autour d'une grande table ronde impeccablement cirée. Chat songea soudain que si on ne le plaçait pas à côté de Gwendoline, il était bien capable de s'évanouir de terreur. Heureusement, personne n'eut l'idée de les séparer. Le repas fut cependant un calvaire pour le pauvre Chat. On y servit les mets les plus raffinés, mais les valets qui apportaient les plats s'ingéniaient à les glisser par-dessus l'épaule gauche de Chat au moment où il s'y attendait le moins. Il sursautait donc brusquement, accumulant maladresse sur maladresse. De plus, il devait se servir lui-même dans le plat d'argent, ce qui l'obligeait à surveiller le contenu des assiettes voisines, afin d'être sûr de ne pas remplir la sienne trop copieusement. La difficulté majeure résidait dans le fait qu'il était gaucher, et que la disposition des couverts ne lui convenait pas du tout. Il tenta d'abord de les permuter, mais ne réussit qu'à faire tomber une cuillère. Au plat suivant, il décida de ne pas renouveler la tentative, laissa les couverts tels quels, et aspergea la nappe de sauce. A chaque accident, le valet lui disait : « Ne vous inquiétez pas, monsieur. » Ce qui mettait le pauvre Chat plus mal à l'aise que jamais.

La conversation était encore plus terrifiante. A une extrémité de la table, le petit homme bruyant faisait un véritable cours sur les valeurs boursières et semblait ne plus devoir s'arrêter. Du côté de Chat, on parlait d'art. M. Saunders avait visiblement passé son été à voyager. Il avait admiré des peintures et des sculptures à travers toute l'Europe. Il s'exprimait avec passion et frappait régulièrement du poing sur la table. Mais son discours était étrangement hétéroclite : il parlait tout à la fois d'écoles, d'ateliers, d'un certain Quattrocento et d'intérieurs hollandais.

Chat observait M. Saunders et se demandait comment une telle quantité de savoir pouvait se dissimuler derrière ce mince visage aux joues si creuses. Milly et Chresto-

51

manci l'écoutaient avec beaucoup d'intérêt et ajoutaient quelques remarques à ses propos. Milly récita un chapelet de noms que Chat n'avait jamais entendus auparavant. Puis Chrestomanci fit de longs commentaires à leur sujet, comme s'il s'agissait d'amis intimes. Chat se dit que si sa famille semblait quelconque, Chrestomanci, lui, n'était vraiment pas un homme ordinaire. Ses yeux d'un noir profond et brillant vous frappaient, même lorsqu'il regardait dans le vague. Et quand il observait quelqu'un, ils se plissaient, donnant l'impression de répandre leur éclat sur son visage entier. A la grande consternation de Chat, les deux enfants ne semblaient pas désorientés par cette étrange conversation. Ils bavardaient en sourdine, comme s'ils savaient parfaitement de quoi leurs parents parlaient.

Chat ressentit cruellement son ignorance. Entre cette conversation, la terreur causée par l'arrivée surprise des différents plats et les biscuits du thé qu'il avait mal digérés, Chat avait perdu l'appétit. Il ne put même pas terminer son dessert. Il enviait Gwendoline qui, la tête haute et la moue dédaigneuse, savourait calmement son repas.

Enfin le dîner fut fini et on leur permit de quitter la table. Ils regagnèrent aussitôt la chambre bleue. Gwendoline s'assit brusquement sur son lit capitonné.

– Quels enfantillages ! dit-elle. Il ont sorti leur grand numéro pour nous impressionner, nous humilier : M. Nostrum m'avait prévenue qu'ils le feraient. C'est pour masquer la pauvreté de leur âme. Tu as vu sa femme, cette grosse bourrique ? Et les enfants, de vraies têtes d'abrutis ! Je sens que je vais détester cet endroit. J'étouffe déjà dans ce château !

– Peut-être que ce ne sera pas si mal une fois qu'on sera habitués, dit Chat sans conviction.

– Ce sera pire, lui promit Gwendoline. Il y a quelque chose dans ce château. Une mauvaise influence. Une... une impression de mort... qui me paralyse peu à peu. Je la sens qui aspire mes pouvoirs. J'arrive à peine à respirer.

– Tu t'imagines des choses, dit Chat, parce que tu as envie de rentrer chez Mme Sharp.

Et il soupira. Mme Sharp lui manquait terriblement.

– Non je ne m'imagine rien, dit Gwendoline. Mais j'aurais dû me douter que tu ne pouvais pas comprendre. Allons, fais un effort. Tu ne sens rien d'étrange, de malsain ?

Chat n'avait pas vraiment besoin de faire d'efforts pour comprendre de quoi elle parlait. Il y avait effectivement quelque chose d'étrange dans ce château. Chat s'était tout d'abord dit que le calme extrême et le silence qui y régnaient étaient responsables de cette impression bizarre. Mais c'était plus qu'une impression. L'atmosphère était douce et pesante comme si tout ce qu'ils disaient ou faisaient était étouffé sous un grand édredon de plumes. Tous les sons, leurs propres voix, semblaient faibles, et restaient toujours sans écho.

– Oui, c'est bizarre, concéda Chat.

– C'est plus que bizarre : c'est terrible, déclara Gwendoline. J'aurai de la chance si je survis.

Puis elle ajouta, à la surprise de Chat :

– Je ne suis donc pas fâchée d'être venue.

– Moi si, dit Chat.

– Je vois... Tu as besoin qu'on s'occupe de toi, dit Gwendoline. Très bien, il y a un paquet de cartes sur la coiffeuse. En fait elles servent à prédire l'avenir, mais si on enlève les atouts, on peut très bien jouer à la bataille avec. Si ça te dit...

CHAPITRE QUATRE

La même douceur et le même silence régnaient lorsque la rousse Mary réveilla Chat le lendemain matin et lui dit qu'il était l'heure de se lever. Un rayon de soleil matinal inondait les murs arrondis de la chambre. Chat savait à présent qu'un bon nombre de gens habitaient au château, cependant il n'entendait pas un bruit. Même dehors, tout était parfaitement silencieux.

« Je sais, songea Chat, c'est exactement comme s'il avait neigé toute la nuit. » A cette pensée, il s'enfouit avec délice sous les couvertures et se rendormit.

– Il faut vraiment te lever, Eric, insista Mary en le secouant un peu. J'ai fait couler ton bain, et les cours commencent à neuf heures. Dépêche-toi, sinon tu n'auras pas le temps de déjeuner.

Chat se leva. Il était tellement persuadé qu'il avait neigé pendant la nuit qu'il fut tout surpris de trouver sa chambre chaude et ensoleillée. Il regarda un instant par la fenêtre les immenses pelouses vertes et les massifs de fleurs ; des corbeaux volaient autour des arbres en un étrange manège. Mary était partie. Chat en était soulagé car elle le mettait mal à l'aise. De plus, il n'avait aucune envie de manquer le petit déjeuner. Une fois habillé, il se rendit à la salle de bains et vida la baignoire. Puis il dévala l'escalier à la recherche de Gwendoline.

– Où est-ce qu'on va pour le petit déjeuner ? demanda-t-il, anxieux.

Gwendoline n'était jamais dans de très bonnes dispositions le matin. Lorsque Chat entra, elle était assise sur sa chaise de velours bleu, face à son miroir doré, et peignait ses cheveux avec rage – se peigner était une des choses qui la mettaient invariablement en rage.

– Je ne sais pas et je m'en fiche. Alors la ferme ! lança-t-elle.

– En voilà un langage ! dit la jeune femme appelée Euphémie qui venait d'entrer à la suite de Chat.

Elle était plutôt jolie, et ne semblait pas du tout considérer son prénom comme une tare ou un châtiment.

– Allez ! Nous vous attendons pour le petit déjeuner !

Gwendoline jeta son peigne sur la table d'un geste lourd de sens, et ils suivirent Euphémie jusqu'à une pièce au bout du couloir. C'était une grande pièce carrée avec une rangée de hautes fenêtres, mais comparée au reste du château elle paraissait très quelconque. Les chaises en cuir étaient endommagées. Le tapis vert était couvert de taches. Aucune des soucoupes sur la table n'était assortie aux tasses. Divers objets encombraient le sol : montres, petit train, raquettes de tennis... Julia et Roger attendaient, assis à une table près des fenêtres, vêtus d'habits très ordinaires.

– Bon. Il est temps ! déclara Mary, qui les attendait également.

Et elle alla faire fonctionner un ingénieux petit monte-charge encastré près de la cheminée. Après une série de cliquetis et de grincements métalliques, elle en extirpa une grande assiette de pain beurré et un pot de chocolat fumant qu'elle déposa sur la table. Euphémie versa un bol de chocolat à chacun.

Les yeux de Gwendoline allèrent de son bol à l'assiette de tartines.

– C'est tout ?

– Qu'est-ce que tu veux d'autre ? demanda Euphémie.

Gwendoline ne put exprimer ce qu'elle voulait : du porridge, des œufs au bacon, un pamplemousse, des toasts avec des harengs salés… Tout lui venait à l'esprit en même temps. Elle resta muette.

– Décide-toi, dit enfin Euphémie. Moi aussi mon petit déjeuner m'attend, tu sais.

– Vous avez de la confiture ? demanda Gwendoline.

Euphémie et Mary se regardèrent :

– Julia et Roger n'ont pas le droit de prendre de confiture, dit Mary.

– Personne ne me l'a défendu, à moi, dit Gwendoline. Apportez-moi de la confiture tout de suite.

Mary s'approcha du tube acoustique, demanda un pot de confiture et, après d'autres roulements et cliquetis, le pot apparut. Mary le prit et le posa devant Gwendoline.

– Merci, dit Chat avec ferveur.

Il y tenait tout autant que Gwendoline, davantage même, parce qu'il détestait le chocolat.

– Il n'y a pas de quoi, dit Mary sur un ton sarcastique.

Et les deux jeunes femmes sortirent.

Au bout d'un moment, Roger brisa le silence qui pesait dans la pièce.

– Passe-moi la confiture, s'il te plaît, dit-il à Chat.

– Je croyais que tu ne devais pas en manger, lança Gwendoline dont l'humeur ne s'était pas améliorée.

– Personne ne le saura si je me sers d'une de vos cuillères, répondit Roger avec flegme.

Chat lui donna la confiture ainsi que sa cuillère.

– Pourquoi vous n'y avez pas droit ?

Julia et Roger se regardèrent un instant en silence.

– Nous sommes trop gros, répondit enfin Julia en prenant calmement la confiture et la cuillère, après que Roger s'en fut abondamment servi.

« Pas étonnant », songea Chat en voyant l'énorme couche de confiture qu'ils avaient réussi à étaler sur leur tartine.

Gwendoline les regarda avec un air de dégoût, puis elle considéra son élégante robe de lin avec complaisance. Le contraste était frappant.

– Votre père est un homme si beau, si distingué, dit-elle. Il doit être horriblement déçu de voir que vous êtes aussi gros et disgracieux que votre mère.

Les deux enfants la regardèrent placidement de derrière leur montagne de confiture.

– Oh, je ne sais pas, dit Roger.

– Les rondeurs, c'est très confortable, ajouta Julia. Ce doit être terrible d'être un sac d'os comme toi.

Le regard bleu de Gwendoline devint d'acier, tandis que sa main faisait un petit signe sous la table. La tartine de confiture s'envola de la main de Julia et vint s'écraser sur son visage, le côté confiture sur la joue, bien entendu. Julia sursauta, puis resta figée.

– Comment as-tu osé m'insulter ? dit Gwendoline.

Sans un mot, Julia décolla la tartine de son visage et sortit un mouchoir de sa poche. Mais, à la grande surprise de Chat, elle laissa la confiture dégouliner lentement le long de sa joue ronde et fit simplement un nœud à son mouchoir, calmement, avec application, et sans quitter Gwendoline des yeux. Au moment où elle tira sur les deux coins pour serrer le nœud, le pot à moitié plein de chocolat se souleva de la table, resta un instant suspendu, puis se déplaça lentement pour s'arrêter juste au-dessus de la tête de Gwendoline. Là, il commença à s'incliner doucement.

– Arrête ! s'écria Gwendoline.

Elle leva la main pour écarter le pot fumant. Mais il s'éleva prestement et, une fois hors d'atteinte, s'inclina de nouveau, menaçant. Gwendoline fit un autre signe avec la main et murmura une suite de mots étranges. Mais le pot de chocolat n'eut pas l'air d'y prêter la moindre attention. Il se penchait toujours davantage. Le chocolat semblait à présent sur le point de couler. Gwendoline se jeta de côté, espérant l'éviter, mais le pot se déplaça également pour s'arrêter de nouveau au-dessus de sa tête.

– Alors, vais-je le renverser ? demanda Julia, souriant sous sa confiture.

– Essaye un peu ! cria Gwendoline. Je le dirai à Chrestomanci.

Elle revint sur sa chaise et le pot la suivit fidèlement. Gwendoline tenta de nouveau de s'en saisir, en vain.

– Attention, tu vas finir par le renverser. Ce serait vraiment dommage pour ta jolie robe, dit Roger d'un air compatissant.

– Toi, la ferme ! hurla Gwendoline en se penchant de l'autre côté, si bien qu'elle se trouvait maintenant tout près de Chat.

Ce dernier regarda avec inquiétude le pot se rapprocher.

Mais à cet instant la porte s'ouvrit et Chrestomanci

entra, vêtu d'une somptueuse robe de chambre de soie ornée de motifs pourpres et bordée d'un liséré d'or sur le col et sur les manches. Elle lui donnait l'air encore plus grand, encore plus mince, et terriblement majestueux. Il souriait en entrant, mais son sourire s'évanouit quand il vit le pot de chocolat.

Le pot tenta de s'évanouir, lui aussi. A la vue de Chrestomanci, il se jeta sur la table si brutalement qu'une giclée de chocolat atteignit la robe de Gwendoline – ce que l'on pouvait considérer ou non comme un accident. Julia et Roger semblaient atterrés. Le mouchoir fut dénoué précipitamment.

– Eh bien, j'étais venu pour vous souhaiter une bonne journée, dit Chrestomanci. Mais je vois qu'elle a déjà mal commencé.

Son regard alla du pot de chocolat à la joue de Julia luisante de confiture.

– Vous deux, si je vous reprends à manger de la confiture... dit-il. Vous feriez mieux de vous en tenir à ce qu'on vous a dit ! Et cela est valable pour vous quatre.

– Je ne faisais rien de mal, dit Gwendoline.

– Tu parles ! dit Roger.

Chrestomanci s'approcha de la table, les mains dans les poches de sa superbe robe de chambre, et dévisagea les enfants tour à tour. Il avait l'air si grand que Chat se demandait comment sa tête ne touchait pas le plafond.

– Il y a une règle absolue dans ce château, dit-il, et je vous conseille de la respecter. Aucune magie d'aucune sorte ne sera pratiquée ici sans la présence de M. Saunders. M'as-tu compris, Gwendoline ?

– Oui, dit Gwendoline, les lèvres pincées, tandis que ses poings se serraient sous la table. Mais je refuse d'obéir à une règle aussi absurde.

Chrestomanci ne sembla pas entendre cette phrase, ni même remarquer la fureur de Gwendoline. Il se tourna vers Chat :

– Toi aussi, Eric. C'est compris ?

– Moi ? dit Chat tout étonné. Oh, bien sûr !

– Bien ! répondit Chrestomanci. A présent, je peux vous dire bonjour.

– Bonjour, papa, dirent Roger et Julia.

– Euh… bonjour, dit Chat.

Gwendoline fit à son tour la sourde oreille. Ils étaient deux à jouer le même jeu. Chrestomanci sourit et sortit de la pièce, une vraie procession à lui tout seul.

– Rapporteur ! lança Gwendoline à Roger dès que la porte se fut fermée. Je vous le revaudrai votre sale tour avec le pot. Vous le faisiez à deux, hein ?

Roger ne semblait pas du tout impressionné par les menaces de Gwendoline et souriait.

– Le don de sorcellerie est assez courant dans la famille, dit-il.

– Et nous en avons tous deux hérité, ajouta Julia. Bon, il faut que j'aille me laver.

Elle fourra trois tranches de pain dans sa poche et quitta la table.

– Roger, dis à Michael que j'arrive tout de suite.

– Encore un peu de chocolat ? demanda Roger poliment en soulevant le pot.

– Je veux bien, dit Chat.

Cela ne l'avait jamais troublé de manger ou de boire des choses qui avaient été ensorcelées. De plus, il avait très soif. Il se disait qu'en remplissant sa bouche de confiture avant de boire, il ne sentirait pas trop le goût du chocolat. Gwendoline, en revanche, se méfiait de Roger. Elle ne répondit rien et fixa le mur avec dignité jusqu'à ce que

M. Saunders ouvrît brusquement une porte que Chat n'avait pas eu le temps de remarquer, et dît d'un air jovial :

– Bonjour, tout le monde ! Il est l'heure ! Voyons comment vous allez vous tirer d'une bonne petite interrogation...

Chat avala précipitamment son chocolat aromatisé à la confiture. La pièce qui se trouvait derrière la porte était une salle de classe. Une véritable salle de classe, à la seule différence qu'elle ne comptait que quatre tables. Il y avait un tableau noir, un globe, un sol usé de salle de classe et une odeur caractéristique de salle de classe. Il y avait également une de ces bibliothèques vitrées sans laquelle aucune salle de classe ne serait complète, avec à l'intérieur ces fameux livres gris-vert ou bleu sombre indispensables, eux aussi, à toute salle de classe. Sur les murs étaient affichées de grandes photographies des statues qui avaient tant plu à M. Saunders.

Deux des tables étaient usées et de couleur marron. Les deux autres étaient flambant neuves, jaunes et vernies. Gwendoline et Chat s'y assirent en silence. Julia entra précipitamment, la figure rose et luisante, et s'installa à la vieille table près de celle de Roger. L'interrogation commença. M. Saunders marchait de long en large devant le tableau tout en posant des questions qu'il semblait avoir pris grand plaisir à concocter. Sa veste de tweed ondoyait dans son dos, comme son imperméable la veille dans le vent. Peut-être était-ce la raison pour laquelle les manches de sa veste étaient si courtes pour ses longs bras. L'un des bras en question se dressa, et un poignet osseux terminé par un doigt affilé se pointa vers Chat :

– Quel rôle a joué la sorcellerie dans la guerre des Roses ?

– Euh… fit Chat. Je crois bien que je ne l'ai pas encore étudié, m'sieur.

– Gwendoline ?

– Oh, un très grand rôle… supposa vaguement Gwendoline.

– Faux, dit M. Saunders. Roger ?

L'interrogation fit apparaître que Julia et Roger avaient oublié beaucoup de choses pendant les vacances, mais qu'ils étaient tout de même loin devant Chat dans la plupart des matières, et très loin devant Gwendoline dans toutes les matières.

– Mais enfin qu'as-tu appris à l'école ? lui demanda M. Saunders au bord de l'exaspération.

Gwendoline haussa les épaules.

– J'ai oublié. Ce n'était pas intéressant. Je me concentrais essentiellement sur la sorcellerie, et j'entends bien continuer, si ça ne vous ennuie pas.

– Je crains que cela ne soit impossible, dit M. Saunders.

Gwendoline le regarda fixement. Elle pouvait à peine en croire ses oreilles.

– Quoi ! dit-elle presque en criant. Mais… mais je suis très douée ! Il faut que je continue !

– Tes dons patienteront, répliqua M. Saunders. Tu te remettras à la magie quand tu auras réussi à apprendre quelque chose d'autre. Ouvre ton livre d'arithmétique et fais les quatre premiers exercices. Eric, je crois qu'un peu d'histoire ne te ferait pas de mal. Ecris un essai sur le roi Canut.

Il se mit à chercher des exercices pour Julia et Roger. Le visage de Gwendoline devint rouge, puis blanc. Lorsque M. Saunders se pencha sur le travail de Roger, l'encrier de Gwendoline sortit de sa cavité et alla tranquillement déverser son contenu sur le dos de la veste ondoyante de M. Saunders. Chat dut se mordre les lèvres pour ne pas rire. Julia observait la scène avec calme et intérêt.

M. Saunders ne sembla rien remarquer. L'encrier retourna sagement dans le bureau de Gwendoline.

– Gwendoline, dit M. Saunders sans se retourner, va chercher la bouteille d'encre et l'entonnoir qui se trouvent en haut de l'armoire, et remplis cet encrier. Remplis-le correctement je te prie.

Gwendoline se leva, désinvolte, avec un air de défi sur le visage. Elle trouva la bouteille et l'entonnoir, et commença à remplir son encrier. Dix minutes plus tard, elle versait toujours. Son visage refléta d'abord la stupéfaction, puis devint rouge d'humiliation, et enfin blanc de colère. Elle tenta de renverser le flacon, de murmurer une formule magique, mais en vain.

M. Saunders daigna enfin se tourner vers elle.

– Vous êtes un monstre ! dit Gwendoline. En plus, je suis parfaitement autorisée à faire de la magie quand vous êtes là.

– Nul n'a l'autorisation de renverser de l'encre sur son professeur, fit remarquer M. Saunders en souriant. Et je t'ai déjà dit que tu devais renoncer à la magie pour l'instant. Continue à verser jusqu'à ce que je te dise d'arrêter.

Gwendoline versa de l'encre pendant toute la demi-heure suivante. On la sentait près d'exploser.

Chat était très impressionné. Il soupçonnait M. Saunders d'être un magicien puissant. Il avait bien observé son dos : sa veste de tweed était intacte. Chat regardait constamment M. Saunders, afin de pouvoir faire passer sans danger son stylo de sa main droite à sa main gauche. Il avait si souvent été puni pour s'être fait surprendre en train d'écrire de la main gauche qu'il était devenu un spécialiste de la surveillance discrète des professeurs. Lorsque M. Saunders venait vers lui, Chat utilisait sa main droite, et il écrivait alors lentement. Mais dès que M. Saunders tournait le dos, Chat changeait son stylo de main et se mettait à écrire rapidement. La difficulté majeure était que, pour ne pas étaler l'encre sur le papier avec sa main gauche, il devait en plus incliner légèrement sa feuille. Toutefois, il était capable de remettre son cahier droit en un clin d'œil, s'il sentait le regard de M. Saunders s'arrêter sur lui.

A la fin de la demi-heure, M. Saunders dit à Gwendoline, sans la regarder, d'arrêter de verser l'encre et d'aller faire des opérations. Puis, toujours sans se retourner, il dit à Chat :

– Eric, qu'est-ce que tu fais ?

– Un essai sur le roi Canut, répondit Chat, l'air innocent.

M. Saunders se tourna vers lui. Chat tenait à ce moment-là le stylo dans la main droite et sa feuille était droite.

– De quelle main écrivais-tu ? demanda-t-il.

Chat était habitué à ce genre d'inquisition. Il leva fièrement sa main droite, qui tenait toujours le stylo.

– Il m'a semblé que c'était tantôt l'une, tantôt l'autre.

– Ça ne se voit pas… dit Chat d'une petite voix.

– Pas beaucoup, en effet, convint M. Saunders. Et dis-moi, cela t'amuse d'écrire alternativement avec tes deux mains ?

– Non, mais c'est que… je suis gaucher, avoua Chat.

A cet instant, comme Chat le craignait, M. Saunders entra dans une colère terrible. Son visage devint rouge et il donna un formidable coup de poing sur la table de Chat. Chat fit un bond, son encrier aussi, éclaboussant copieusement la main de M. Saunders et l'essai sur le roi Canut.

– Gaucher ! tonna-t-il. Et nom d'une pipe, pourquoi n'écris-tu pas avec ta main gauche ! Tu veux bien me le dire ?

– Euh… ben, on me punit quand je fais ça, répondit Chat d'une voix tremblante.

Il était passablement troublé et surtout perplexe de voir M. Saunders en colère pour une raison aussi étrange.

– Eh bien, ces gens-là mériteraient d'être rôtis à petit feu et de se faire arracher les oreilles ! Tu te causes un grave préjudice, mon garçon, en obéissant à un ordre aussi absurde ! Que je ne te surprenne plus jamais en train d'écrire avec ta main droite !

– Oui, monsieur, s'empressa de répondre Chat.

Il se sentait soulagé, mais ses mains tremblaient encore. Il jeta un coup d'œil mélancolique à son essai taché d'encre, avec le vague espoir que peut-être M. Saunders y remédierait avec un zeste de sorcellerie, comme il l'avait fait pour sa veste en tweed. Mais M. Saunders prit le cahier et en arracha la page.

– Maintenant recommence-le. Et correctement, dit-il en jetant le cahier sur la table.

Chat rédigeait de nouveau ses piètres considérations sur le règne du roi Canut, lorsque Mary entra, apportant un plateau avec du lait, des gâteaux secs et une tasse de café pour M. Saunders. Quand ils se furent restaurés, M. Saunders annonça à Gwendoline et Chat qu'ils étaient libres jusqu'à l'heure du déjeuner.

– Bien qu'on ne puisse pas dire que vous l'ayez mérité par une bonne matinée de travail, dit-il. Sortez et allez respirer l'air frais.

Comme ils franchissaient la porte, il se tourna vers Julia et Roger :

– A présent, un petit peu de sorcellerie. J'espère qu'il vous reste au moins quelques souvenirs dans ce domaine-là.

A ces mots, Gwendoline s'arrêta net et regarda M. Saunders.

– Non, non. Pas toi, dit M. Saunders. Je te l'ai déjà expliqué.

Gwendoline sortit en claquant la porte, traversa en courant la salle de jeux puis s'engagea dans le couloir. Chat allait aussi vite que possible pour la suivre, mais il ne la rattrapa que lorsqu'ils arrivèrent dans une autre partie du château, grandiose, au bord d'un immense escalier de marbre.

L'escalier descendait en tournant, éclairé par la lumière qui tombait d'un dôme superbe.

– Mais ce n'est pas par là ! haleta Chat.

– Si ! coupa Gwendoline. Je veux parler à Chrestomanci. Je ne vois pas pourquoi ces deux imbéciles auraient des leçons de sorcellerie, et pas moi. Je suis deux fois plus douée qu'eux ! Ils étaient obligés de se mettre à deux, rien que pour faire léviter un pot de chocolat ! Il faut que je voie Chrestomanci.

A cet instant, Chrestomanci s'avançait vers eux, dans la galerie, de l'autre côté de l'escalier, derrière une balustrade de marbre sculpté. Il ne portait plus son impériale robe de chambre, mais un costume couleur fauve qui lui donnait l'air, si cela était toutefois possible, encore plus élégant. On voyait à son visage que ses pensées étaient à des lieues de là. Gwendoline contourna l'escalier en courant et vint se planter devant lui. Chrestomanci cligna des yeux, puis regarda tour à tour Chat et Gwendoline d'un air vague.

– L'un de vous désire-t-il me parler ?

– Oui, moi ! dit Gwendoline. M. Saunders ne veut pas me donner de cours de sorcellerie. Il faut que vous lui disiez de le faire.

– Oh, mais c'est impossible, dit distraitement Chrestomanci. Désolé.

Gwendoline frappa furieusement du pied. Bien que le sol fût en marbre, cela ne fit qu'un petit « flap » sans écho. Gwendoline se mit donc à hurler :

– Mais pourquoi ? Je veux avoir des cours de sorcellerie !

Chrestomanci regarda Gwendoline d'un air surpris, comme s'il venait juste de s'apercevoir de sa présence.

– Cela semble te contrarier, dit-il. Mais je crains que ce ne soit sans appel. C'est moi qui ai demandé à Michael Saunders de n'enseigner la sorcellerie à aucun de vous.

– Vous avez fait ça ? Pourquoi ? s'époumona Gwendoline.

– Parce que vous en feriez mauvais usage, bien sûr, répondit Chrestomanci, comme s'il s'agissait là d'une évidence. Mais je reconsidérerai le problème dans un an ou deux, si tu désires toujours apprendre.

Puis il sourit gentiment à Gwendoline, apparemment convaincu qu'elle serait satisfaite de sa réponse, et descendit l'escalier de marbre, l'air de nouveau absent.

Gwendoline donna un violent coup de pied dans la balustrade, et cria de douleur. Elle se mit alors dans une colère plus terrible encore que celle de M. Saunders. Pendant plusieurs minutes elle resta en haut de l'escalier, à danser, à sauter sur un pied, et à pousser des hurlements. Chat en était presque effrayé. Elle levait le poing dans la direction où Chrestomanci était parti :

– Je vous montrerai de quoi je suis capable ! Attendez un peu ! répétait-elle.

Mais Chrestomanci avait disparu, et sans doute ne pouvait-il l'entendre, car même le cri le plus perçant de Gwendoline paraissait faible.

Chat en était stupéfait. Qu'y avait-il donc dans ce château ? Il leva les yeux vers le dôme d'où venait la lumière et songea que les hurlements de Gwendoline auraient dû y résonner comme dans une cathédrale. Au lieu de cela, il n'entendait que des couinements étouffés. En attendant que Gwendoline se calme, Chat tenta une petite expérience : il mit deux doigts dans sa bouche et siffla le plus fort qu'il put. Cela produisit un singulier petit bruit plaintif, semblable au frottement d'une chaussure sur un parquet. Cela provoqua également l'apparition de la vieille dame aux gants.

– Vous êtes bien bruyants, les enfants, dit-elle. Si vous voulez crier et siffler, il faut aller dehors. Vous avez compris ?

– Oh, et puis viens ! dit brusquement Gwendoline à Chat.

Ils se mirent à courir vers l'autre partie du château. Après s'être trompés plusieurs fois de direction, ils finirent par retrouver la petite porte qui donnait sur le jardin.

– Et si on faisait une grande exploration ? suggéra Chat.

Gwendoline haussa les épaules, mais ne fit aucune objection. Ils partirent donc.

Ils dépassèrent le massif de rhododendrons et se trouvèrent alors sur l'immense et douce pelouse, au milieu des cèdres. Elle s'étendait devant toute la partie rénovée du château. De l'autre côté, Chat aperçut quelque chose de tout à fait intéressant : un vieux mur de pierre, assez haut, inondé de soleil, par-dessus lequel se penchaient quelques arbres. Il s'agissait certainement des ruines d'un château encore plus ancien. Chat s'y dirigea en courant, suivi de

Gwendoline. Mais, soudain, Gwendoline s'arrêta et se mit à tâter le gazon du bout du pied.

– Tu penses que ça compte comme faisant partie du château ?

– La pelouse ? Oh oui, il me semble, répondit Chat. Allez viens ! On va explorer ces ruines là-bas.

Le premier mur qu'ils atteignirent n'était pas très haut. Une petite porte les conduisit dans un jardin austère, traversé de larges allées de gravier très droites, bordées de haies. Il y avait également des ifs, soigneusement taillés en forme de pyramide, et des massifs de fleurs jaunes disposés de façon symétrique.

– Aucun intérêt, dit Chat.

Et il continua en direction du vieux mur qu'il apercevait toujours. De nouveau, ils se trouvèrent face à un mur plus petit, qui cachait un verger. Tous les arbres y étaient taillés en espalier et alignés à la perfection. Leurs branches étaient chargées de pommes, parfois très grosses. Se souvenant de ce que Chrestomanci lui avait dit à propos des pommes gaulées, Chat n'osa pas y toucher. Mais Gwendoline en cueillit une belle, bien rouge, et mordit dedans.

Au même instant, un jardinier apparut, et leur dit sur un ton de reproche qu'il était interdit de cueillir des pommes. Gwendoline jeta la pomme dans l'allée.

– Reprenez-la, alors. De toute façon, il y avait un ver dedans.

Ils poursuivirent leur chemin, laissant derrière eux le jardinier qui contemplait avec tristesse la pomme entamée. Mais, au lieu d'atteindre les ruines, ils arrivèrent à un bassin de poissons rouges, puis à une roseraie. Là, Gwendoline tenta l'expérience de cueillir une rose. Immédiatement, un autre jardinier survint et leur expliqua qu'ils n'étaient pas autorisés à cueillir des roses. Comme elle l'avait déjà fait pour la pomme, Gwendoline jeta la rose à terre. Regardant autour de lui, Chat s'aperçut que, curieusement, les ruines étaient à présent derrière eux. Il fit donc demi-tour et se remit en marche, mais il ne semblait jamais s'en rapprocher. Il était presque l'heure de déjeuner lorsque Chat découvrit un petit sentier escarpé, bordé de deux murs de pierre. Les ruines étaient là-haut, au bout du sentier.

Chat se mit à grimper joyeusement. Le mur ensoleillé semblait gigantesque, et l'on apercevait des arbres au sommet. Quand il en fut tout près, Chat découvrit un escalier vertigineux, qui saillait du mur. C'était plutôt une échelle de pierre qu'un escalier. Il était si vieux que des giroflées et des gueules-de-loup y avaient pris racine et que des roses trémières avaient poussé juste devant la première marche. Chat écarta délicatement quelques roses, afin d'y mettre le pied. A cet instant précis, il fut rejoint par un troisième jardinier, tout essoufflé :

– Vous ne pouvez pas aller par là, c'est le jardin de Chrestomanci là-haut.

– Mais pourquoi on ne peut pas ? insista Chat, profondément déçu.

– Parce que ce n'est pas permis. Voilà tout.

Lentement et de mauvaise grâce, Chat revint sur ses pas. Le jardinier ne bougeait pas. Il voulait s'assurer que Chat partait vraiment.

– Zut alors, dit Chat.

– Les interdictions de Môssieur Chrestomanci commencent à me taper sur les nerfs, annonça Gwendoline. Il est grand temps que quelqu'un lui donne une leçon.

– Qu'est-ce que tu vas faire ? demanda Chat.

– Tu verras bien, dit Gwendoline, les lèvres pincées et l'œil mauvais.

CHAPITRE CINQ

Gwendoline refusa de révéler à Chat ses intentions, ce qui le rendit bien mélancolique. Après un repas consistant, composé de mouton bouilli et de rutabagas, ils eurent de nouveau cours. Lorsqu'ils furent terminés, Gwendoline se sauva en défendant à Chat de l'accompagner. Il se retrouva tout seul et ne savait pas quoi faire.

– Ça te dirait de venir jouer dehors avec nous ? demanda poliment Roger.

Chat le regarda et vit que son invitation était sincère.

– Non merci, répondit-il poliment à son tour.

Et il se mit à errer au milieu des jardins. Il y avait plus loin un petit bois de châtaigniers, mais les châtaignes n'étaient pas encore mûres. En levant machinalement les yeux, Chat vit une cabane nichée dans l'un des arbres, à mi-hauteur. Enfin quelque chose d'intéressant. Chat s'apprêtait à y grimper lorsqu'il entendit des voix et aperçut la jupe de Julia au milieu des branchages. C'était la cabane privée de Julia et de Roger.

Chat rebroussa chemin tristement. En arrivant sur la pelouse, il vit Gwendoline accroupie sous un cèdre, très occupée à creuser un petit trou.

– Qu'est-ce que tu fais ? demanda Chat.

– Va-t'en ! lui cria Gwendoline en guise de réponse.

Chat s'éloigna. Il se doutait bien que ce que faisait Gwendoline était de la sorcellerie, et qu'elle avait l'intention de donner une leçon à Chrestomanci. Mais il était dangereux de la questionner quand elle faisait des mystères. Il lui faudrait attendre pour en savoir davantage. Alors Chat attendit. Il attendit pendant un autre terrifiant dîner, et pendant une longue, très longue soirée. Gwendoline s'était enfermée dans sa chambre et lui avait dit de la laisser tranquille quand il avait frappé à sa porte.

Le lendemain matin, Chat se réveilla tôt et bondit immédiatement vers la fenêtre la plus proche de son lit. Il vit alors l'œuvre de Gwendoline : la pelouse était dévastée. Ce n'était plus un immense et doux tapis de velours, mais une vaste étendue de taupinières. De tous côtés, à perte de vue, ce n'étaient que petits monticules verts, amas de terre, longs sillons d'herbe déracinée et longs tunnels de terre sombre. Une armée de taupes avait dû s'y acharner toute la nuit. Quelques jardiniers au visage mélancolique contemplaient le désastre en se grattant le front d'un air perplexe.

Chat s'habilla à la hâte et se rua dans la chambre de Gwendoline. Elle était penchée à la fenêtre dans sa chemise de nuit de coton, rayonnant de fierté.

– Regarde-moi ça ! dit-elle à Chat. N'est-ce pas merveilleux ? Et ça s'étend sur des dizaines et des dizaines de mètres ! Cela m'a pris des heures hier soir pour être sûre que tout serait bien abîmé. Voilà qui va faire réfléchir un peu Chrestomanci.

Chat était de cet avis. Il ne savait pas combien cela coûterait de remplacer une telle étendue de gazon, mais il se doutait bien que le prix serait considérable. Et il craignait que Gwendoline n'ait sous peu de graves ennuis.

Mais, à sa stupéfaction, personne ne proféra un seul mot au sujet de la pelouse. Euphémie entra et dit simplement :

– Vous allez encore être en retard pour le petit déjeuner !

Julia et Roger n'ouvrirent même pas la bouche. Ils acceptèrent en silence la cuillère de Chat et le pot de confiture quand il les leur tendit. En se servant à son tour, Julia laissa tomber la cuillère dans le pot et dit : « Zut ! » Ce fut la seule parole prononcée pendant ce petit déjeuner. Quand l'heure des cours arriva, M. Saunders ne leur parla pas d'autre chose que de mathématiques et de grammaire. Chat en conclut que personne ne soupçonnait Gwendoline d'être à l'origine du désastre opéré par les taupes. Ils n'avaient aucune idée de ses pouvoirs fantastiques.

Il n'y eut pas de cours après le déjeuner ce jour-là. M. Saunders leur expliqua que le mercredi après-midi était toujours libre. Quand Gwendoline et Chat sortirent de la salle de classe, toutes les taupinières avaient disparu. Ils restèrent un long moment stupéfaits devant la fenêtre de la salle de jeux. La pelouse ressemblait de nouveau à un drap de velours vert.

– Je n'y crois pas, chuchota Gwendoline à l'oreille de Chat. Ce doit être une illusion. Ils essaient de m'humilier.

Après le repas, ils sortirent dans le parc. Il leur fallait être très prudents parce que M. Saunders se reposait dans un fauteuil sous un cèdre, en lisant un petit livre jaune qui semblait l'amuser énormément. Gwendoline alla se planter au milieu de la pelouse, comme si elle voulait admirer le château. Puis elle fit semblant de relacer un de ses souliers pour pouvoir toucher le gazon de la main.

– Je n'y comprends rien, grogna-t-elle.

Comme elle était sorcière, elle savait ce qui était une illusion et ce qui n'en était pas.

– C'est vraiment comme hier. Mais comment ont-ils fait ?

– Ils ont peut-être planté un nouveau gazon pendant que nous étions en cours, suggéra Chat.

– Imbécile ! dit Gwendoline. Ça se verrait, voyons, si c'était du gazon neuf !

M. Saunders interrompit leur discussion en les appelant de son fauteuil. L'espace d'une seconde, Gwendoline sembla plus inquiète que Chat ne l'avait jamais vue. Mais elle le dissimula bien et se dirigea d'un pas nonchalant vers le fauteuil. Chat remarqua que le petit livre jaune était en français. Comment était-il possible de s'amuser en lisant un livre en français ? M. Saunders devait être aussi doué pour les lettres que pour la magie.

M. Saunders posa le livre ouvert sur la pelouse à nouveau splendide, et leur sourit :

– Vous êtes partis si vite tout à l'heure que je n'ai même pas eu le temps de vous donner votre argent de poche. Tenez.

Il tendit à chacun une grosse pièce d'argent. Chat contempla la sienne, médusé. C'était une couronne, une pièce de cinq shillings. Il n'avait jamais eu autant d'argent dans toute sa vie. Son étonnement redoubla lorsque M. Saunders ajouta :

– Vous le recevrez chaque mercredi. Je ne sais pas si vous êtes économes ou dépensiers. En général, Roger et Julia descendent au village et dépensent tout en bonbons.

– Merci, dit Chat. Merci beaucoup. Si on allait au village, Gwendoline ?

– D'accord, approuva Gwendoline.

Elle se sentait partagée entre le désir un peu effronté de rester au château et d'y attendre les conséquences de son exploit, et le soulagement d'avoir une excuse pour partir.

– Chrestomanci va sûrement envoyer des gens me chercher dès qu'il aura compris que c'était moi, dit-elle à Chat, tandis qu'ils descendaient l'allée bordée d'arbres.

– Tu crois que c'est M. Saunders qui a remis la pelouse comme elle était avant ? demanda Chat.

– Ça m'étonnerait, répondit Gwendoline en fronçant les sourcils, il était en train de nous faire cours.

– Ces jardiniers, suggéra Chat, peut-être que ce sont des magiciens. Ils étaient arrivés rudement vite pour nous empêcher de toucher aux fruits et aux fleurs.

– Eux ? ricana Gwendoline. Allons, ils ne valent pas mieux que le Sorcier empressé !

Chat savait que le Sorcier empressé n'était guère plus doué que Mme Sharp. Les gens faisaient appel à lui pour porter de lourdes choses ou pour faire gagner un mauvais cheval dans une course.

– Tout de même, insista Chat, ce sont peut-être des spécialistes, des magiciens de jardin…

Pour toute réponse, Gwendoline se remit à rire.

Le village commençait juste après les grilles du château, au pied de la colline. Il était très joli, disposé autour d'une grande place sur laquelle étaient installées plusieurs boutiques : une belle boulangerie aux fenêtres en saillie et une confiserie coquette qui faisait également papeterie et bureau de poste. Chat y serait volontiers entré, mais Gwendoline se dirigea vers un autre magasin : une boutique de brocanteur. Chat n'était pas contre l'idée d'y faire un tour, car la vitrine était prometteuse. Mais Gwendoline secoua la tête, l'air mécontent, et arrêta un garçon du village qui passait près d'eux :

– On m'a dit que M. Baslam habitait par ici. Tu peux m'indiquer où exactement ?

Le garçon fit une grimace :

– Lui ? C'est pas quelqu'un d'bien ! Enfin si vous voulez vraiment savoir, il habite au bout de cette rue-là.

Et il resta planté devant eux avec l'expression de quelqu'un qui attend un salaire mérité. Mais ni Gwendoline ni Chat n'avaient de monnaie. Il ne leur restait qu'à lui tourner le dos et à s'éloigner.

– Sale petite sorcière ! Magicien à la manque ! leur cria le garçon.

Gwendoline n'y prêta pas la moindre attention, mais Chat se sentit si honteux qu'il eut envie de retourner sur ses pas et d'expliquer au garçon qu'ils n'avaient pas de monnaie.

M. Baslam habitait une petite maison d'aspect misérable. On pouvait lire, appliquée contre l'une des fenêtres, la pancarte suivante : Substences egzotik.

Gwendoline la regarda avec pitié lorsqu'elle frappa à la porte. Celle-ci s'ouvrit bientôt sur un gros homme dont la chemise était tendue à craquer, et dont les yeux étaient rouges et tombants, comme ceux d'un saint-bernard.

– Pas aujourd'hui, désolé, fit-il dans un souffle empesté de bière.

Et il referma la porte.

– C'est M. Nostrum qui m'envoie, cria Gwendoline. M. William Nostrum.

La porte se rouvrit.

– Ah ! fit M. Baslam. Bon… entrez alors. Par ici.

Il les conduisit à l'intérieur d'une pièce exiguë et sombre, dans laquelle étaient entassées quatre chaises, une table et plusieurs douzaines de caisses contenant des animaux empaillés. Le tout était recouvert d'une épaisse couche de poussière.

– Asseyez-vous, dit M. Baslam de mauvaise grâce.

Chat s'assit avec précaution sur le bord d'une chaise et s'appliqua à ne pas respirer trop profondément. En plus de l'odeur de bière que répandait généreusement M. Baslam, la pièce sentait le moisi et le vieux vinaigre. Chat se dit que certains des animaux empaillés n'avaient pas dû être convenablement traités. L'odeur ne semblait pas indisposer Gwendoline. Elle était assise, bien droite, semblable à une image de petite fille modèle. Sa robe couleur crème était parfaitement disposée autour d'elle, et son chapeau à larges bords ombrageait légèrement ses cheveux dorés. Elle fixait sévèrement M. Baslam de ses yeux bleus.

– Votre pancarte est pleine de fautes.

M. Baslam baissa ses yeux de saint-bernard et fit de vagues gestes qui se voulaient désinvoltes.

– Je sais, je sais. Mais je n'ai pas très envie d'être pris au sérieux, vous savez. Bon, passons. Qu'est-ce que vous me voulez, au juste ? En général M. Nostrum ne me fait pas part de ses projets. Je ne suis qu'un humble fournisseur.

– J'ai besoin de quelques produits, bien sûr, dit Gwendoline.

Chat écouta, non sans ennui, Gwendoline se livrer à un marchandage tenace pour acquérir ses fameux produits. M. Baslam alla fouiller derrière ses caisses d'animaux empaillés et en extirpa divers paquets et flacons enveloppés de papier journal – des yeux de tritons, des langues de serpents, de la cardamome, du concentré d'ellébore, de la poudre de momie, du salpêtre, de l'ail doré et plusieurs sortes de résines – qui contribuaient sans doute à l'odeur nauséabonde de la pièce. M. Baslam s'offusquait des prix que lui proposait Gwendoline. Et Gwendoline était déterminée à obtenir un maximum de choses en échange de sa pièce d'argent, ce qui déplut à M. Baslam.

– Toi, tu sais ce que tu veux, hein ? dit-il avec humeur.

– Je sais ce que valent ces produits, c'est tout, répliqua Gwendoline.

Elle enleva son chapeau, glissa avec soin les petits paquets de papier journal à l'intérieur et le remit adroitement sur sa tête.

– Et, pour finir, je crois qu'il me faudra un peu de sang de dragon, dit-elle tranquillement.

79

– Ooooh… fit M. Baslam plaintivement en secouant ses bajoues. C'est interdit le sang de dragon, ma petite mademoiselle ! Tu devrais le savoir. Je ne vois vraiment pas comment je pourrais t'en procurer.

– M. Nostrum – les deux M. Nostrum – m'ont affirmé que vous pourriez me procurer n'importe quoi, dit Gwendoline. Ils ont dit que vous étiez le meilleur agent qu'ils connaissaient. Et je ne vous demande pas de sang de dragon maintenant, j'en commande.

M. Baslam sembla très satisfait d'être ainsi recommandé par les frères Nostrum, mais il n'était toujours pas convaincu.

– Seuls les sortilèges terriblement puissants nécessitent du sang de dragon, dit-il d'une voix geignarde. Une petite demoiselle comme toi ne va pas faire toute seule des choses pareilles.

– Je ne sais pas encore, dit Gwendoline, mais ça se pourrait. Je suis des cours de magie supérieure, vous savez. Et il me faut du sang de dragon pour le cas où j'en aurais besoin.

– Bien, tu l'auras, ma petite. Mais ça vaut sacrément cher ! prévint M. Baslam. Il faut payer pour le risque, tu comprends. Je ne veux pas d'ennui avec la police.

– Je peux payer, répondit Gwendoline. Je paierai en plusieurs fois. Vous pouvez garder la monnaie des cinq shillings en acompte.

M. Baslam était incapable de résister à cette offre. A la façon dont il regarda la pièce que Gwendoline lui tendait, Chat eut la certitude qu'il aurait tôt fait de la transformer en une montagne de chopes de bière mousseuse.

– Marché conclu, dit M. Baslam en empochant la pièce.

Gwendoline sourit gracieusement et se leva pour partir. Chat, reconnaissant, se leva lui aussi.

– Et toi, jeune homme, demanda M. Baslam d'une voix mielleuse. En quoi puis-je t'être utile ?

– C'est seulement mon frère, coupa Gwendoline.

– Oh ! Ah ! Hum ! Oui ! fit M. Baslam. Ton frère, bien sûr. Bon, eh bien, bonne journée à vous deux. Revenez quand vous voulez.

– Quand aurez-vous le sang de dragon ? demanda Gwendoline sur le pas de la porte.

M. Baslam réfléchit un instant :

– Disons... dans une semaine.

Le visage de Gwendoline s'illumina.

– Si vite ? Je savais que vous étiez un bon agent ! D'où le recevez-vous si rapidement ?

– Ah, ce sont des choses qu'on ne dit pas. Pas vrai ? répondit M. Baslam. Il faut le faire venir d'un autre monde. Mais lequel, c'est un secret professionnel, ma petite demoiselle.

Gwendoline jubilait tandis qu'ils retournaient vers la place du village.

– Une semaine ! C'est plus rapide que tout ce que j'avais entendu dire ! Il faut le faire passer en fraude d'un autre monde dans le nôtre, tu sais. M. Baslam doit avoir de sacrées relations là-bas.

– Ou bien il en a une réserve à l'intérieur d'un de ses oiseaux empaillés, dit Chat à qui M. Baslam n'avait pas plu du tout. Tu veux du sang de dragon pour quoi faire ? Mme Sharp dit que ça coûte cent livres les cinquante grammes.

– Ne t'inquiète pas, dit Gwendoline. Oh ! dépêche-toi, Chat ! Vite, dans la confiserie ! Il ne faut pas qu'elle sache d'où je viens !

Sur la place, une dame très élégante portant une ombrelle parlait avec un prêtre. C'était la femme de

Chrestomanci. Gwendoline et Chat se ruèrent à l'intérieur de la boutique en espérant qu'elle ne les avait pas vus. Chat acheta pour chacun un paquet de caramels. Comme Milly était toujours là, il acheta deux bâtons de réglisse. Puis du nougat. Puis un ruban pour Gwendoline et une carte postale du château pour lui. Milly n'ayant toujours pas bougé, et Chat ne sachant vraiment plus quoi acheter, ils sortirent de la boutique.

Milly leur fit immédiatement signe.

– Les enfants ! Venez dire bonjour à M. le curé !

M. le curé, un homme âgé avec un regard un peu perdu, leur tendit une main tremblante et marmonna qu'il les verrait dimanche.

– Je dois partir à présent, ajouta-t-il.

– Nous aussi, répondit Milly. Venez, mes chéris, nous allons faire le chemin ensemble.

Ils n'avaient pas le choix et se mirent donc à marcher à ses côtés, abrités par son ombrelle.

Ils traversèrent la place du village puis passèrent les grilles du château. Chat craignait qu'elle ne leur demande pourquoi ils étaient allés chez M. Baslam. Gwendoline, elle, était certaine qu'elle allait lui poser des questions au sujet des taupes. Mais Milly leur dit simplement :

– Je suis contente d'avoir enfin l'occasion de vous parler, mes chers enfants. Je n'ai pas eu un seul instant pour voir comment se passait votre installation. Est-ce que tout va bien ? Est-ce que le château vous semble très étrange ?

– Euh… un peu, admit Chat.

– Les premiers jours sont toujours les plus difficiles, où qu'on aille, dit Milly. Je suis sûre que vous vous habituerez bientôt à votre nouvelle vie. N'hésitez surtout pas à utiliser les jouets qui sont dans la salle de jeux, si vous en avez envie. Ils sont pour tout le monde. Les jouets personnels sont rangés dans les chambres. A propos, est-ce que vos chambres vous plaisent ?

Chat leva vers elle des yeux ébahis. Elle parlait comme si les taupes, la sorcellerie, rien de tout cela n'avait jamais existé. Milly lui adressa un sourire. A présent, Chat était moins impressionné par l'élégance de sa robe et les dentelles de son ombrelle, car il voyait en Milly une femme simple et douce. Il se dit qu'il l'aimait bien. Il affirma que la chambre et la salle de bains lui plaisaient beaucoup – tout particulièrement la douche – et expliqua qu'il n'avait jamais eu auparavant de salle de bains pour lui tout seul.

– Je suis ravie. J'espérais vraiment qu'elle te plairait, dit Milly. Mlle Bessemer voulait te mettre à côté de Roger, mais cette chambre me paraissait triste – et puis il n'y avait pas de douche. Tu y jetteras un coup d'œil et tu verras ce que je veux dire.

Ils s'engagèrent dans l'allée principale tout en bavardant. A sa propre surprise, Chat se retrouvait en train d'entretenir la conversation, et il y prenait plaisir. Lorsque Gwendoline comprit que Milly ne ferait pas la moindre allusion à la pelouse, ni à M. Baslam, elle se mit à la mépriser et garda obstinément le silence. Au bout d'un moment, Milly demanda à Chat quelle était la chose dans le château qui lui semblait la plus étrange.

Chat répondit timidement, mais sans hésitation :

– La façon dont tout le monde parle au dîner.

Milly laissa échapper une telle exclamation de désespoir que Chat en sursauta et que Gwendoline la méprisa encore davantage.

– Oh ! mon pauvre Eric ! J'ai remarqué ton regard hier. C'est terrible, non ? Michael a le don de s'enflammer pour certains sujets, et alors plus rien ne peut l'arrêter. Mais il finira bien par se calmer, et nous pourrons de nouveau avoir une conversation normale, plaisanter par exemple. Moi j'aime bien m'amuser au dîner, toi aussi j'en suis sûre. Hélas, j'ai bien peur que rien ni personne ne puisse jamais empêcher ce pauvre Bernard de parler de valeurs boursières ! Mais n'y fais pas attention. Personne n'écoute Bernard. Dis-moi, aimes-tu les éclairs ?

– Oh oui ! dit Chat avec ferveur.

– Parfait ! dit Milly. J'ai demandé qu'on nous apporte le thé sur la pelouse, puisque c'est votre premier mercredi ici. Et puis ce serait dommage de ne pas profiter de ce temps magnifique. C'est drôle tout de même que le mois de septembre soit presque toujours beau. Si nous coupons à travers ces arbres, nous arriverons sur la pelouse en même temps que le thé.

Effectivement, lorsqu'ils sortirent du bosquet, ils se trouvèrent devant une table et des chaises de jardin que des valets finissaient d'installer. D'autres apportaient des plateaux. M. Saunders était déjà là, avec deux ou trois personnes. Gwendoline suivait Milly et Chat à quelques pas de distance. Elle était nerveuse mais n'en arborait pas moins un air de défi. Elle était certaine que Chrestomanci allait choisir ce moment pour lui parler de la pelouse, et elle n'aurait hélas pas la possibilité d'aller auparavant cacher les produits qu'elle gardait toujours sous son chapeau.

Mais tout le monde était là, sauf Chrestomanci. Milly se fraya un chemin entre les chaises de M. Valeurs boursières et de Julia, passa devant la vieille dame aux gants et vint se camper devant M. Saunders en pointant sur lui son ombrelle.

– Michael, il vous est formellement interdit de parler d'art pendant le thé, dit-elle, sans toutefois parvenir à garder son sérieux.

Visiblement, toute la famille était du même avis que Chat. Plusieurs s'écrièrent :

– Bravo ! Très bien !

– Est-ce qu'on peut commencer tout de suite, maman, demanda Roger ?

Pour la première fois depuis son arrivée au château, Chat se sentait bien. Il savoura le thé, les petits sandwichs au concombre et les éclairs moelleux, gorgés de crème. Il en mangea même davantage que Roger. Il était bercé par un bavardage familial, gai et chaleureux, avec quelques relents de valeurs boursières en toile de fond, et le soleil caressait doucement la pelouse. Chat était content que quelqu'un l'eût restaurée, même s'il ignorait qui et comment. Il l'aimait mieux ainsi, verte et soyeuse. Il commença à penser qu'il pourrait presque être heureux au château, avec un peu d'entraînement.

Pendant ce temps, Gwendoline broyait du noir. Les paquets pesaient sur sa tête. Leur odeur gâchait le goût des éclairs. Et elle savait qu'il lui faudrait attendre jusqu'au dîner pour que Chrestomanci lui parle enfin de la pelouse.

Le dîner eut lieu un peu plus tard ce soir-là, à cause du thé qui s'était prolongé. Le soir tombait quand ils entrèrent tous dans la salle à manger. De hauts chandeliers illuminaient la table. Chat pouvait voir la pièce entière se refléter dans les grandes baies vitrées en face de lui. C'était un spectacle à la fois joli et utile, car Chat voyait aussi les plats arriver. Pour la première fois, il ne se laissa pas surprendre quand le valet lui brandit sous le nez un plat de poisson et de chou rouge en vinaigrette. Et puisqu'il lui était dorénavant interdit de se servir de sa main droite, c'est sans la moindre appréhension qu'il intervertit les couverts. Il commençait à se sentir nettement plus à l'aise.

Frustré de n'avoir pu parler d'art pendant le thé, M. Saunders se montra encore plus éloquent que de coutume. Il parlait, parlait, ne s'arrêtant que pour reprendre son souffle. Chrestomanci l'écoutait avec un plaisir évident et hochait la tête de temps à autre, en signe d'approbation. Il semblait détendu et d'excellente humeur. En revanche, l'humeur de Gwendoline ne cessait d'empirer : Chrestomanci n'avait pas prononcé un seul mot au sujet de la pelouse depuis son arrivée, quelques minutes avant le dîner, et il était de plus en plus évident que personne n'avait l'intention de mentionner l'événement.

Gwendoline enrageait. Elle voulait que ses pouvoirs soient reconnus. Elle voulait montrer à Chrestomanci qu'elle était une sorcière avec laquelle il fallait compter. Il ne lui restait donc qu'à songer à une nouvelle démonstration. N'ayant pas ses ingrédients magiques sous la main, elle se sentait un peu embarrassée. Mais elle se rappela soudain un tour qu'elle pouvait réaliser très facilement.

Le dîner suivait son cours. Des valets entrèrent avec le plat suivant. Chat leva les yeux vers les fenêtres pour guetter l'approche du plat d'argent. Et il se retint de hurler.

Dehors, pressée contre la vitre, se mouvait une créature squelettique et grimaçante. On eût dit le fantôme désarticulé d'un fou. C'était livide, visqueux, repoussant. Bien que Chat eût presque immédiatement compris que l'horrible apparition était l'œuvre de Gwendoline, il ne parvenait pas à se calmer.

Milly remarqua son visage apeuré et suivit la direction de son regard. Elle tressaillit et tapota tout doucement le dos de la main de Chrestomanci avec sa cuillère. Chrestomanci se détourna de M. Saunders pour regarder, lui aussi, vers la fenêtre. Il jeta à la pitoyable créature un regard ennuyé et soupira.

– Et donc, je maintiens que Florence est la plus belle ville d'Italie, dit M. Saunders.

– La plupart des gens considèrent que c'est Venise, fit remarquer Chrestomanci. Oh, Frazier, voulez-vous fermer les rideaux, je vous prie ? Merci.

– Non, non. A mon avis, Venise est surestimée, insista M. Saunders.

Et il se mit à expliquer pourquoi, tandis que le maître d'hôtel tirait les longs rideaux orangés, masquant ainsi la créature.

– Oui, il se peut que tu aies raison. Florence est une ville plus riche, approuva Chrestomanci. Au fait, Gwendoline, quand j'ai dit « le château », je parlais bien sûr de l'enceinte du château et pas seulement de son intérieur. Mais continue, Michael. Venise ?

Tout le monde fit comme si de rien n'était. Excepté Chat. Il ne cessait de se représenter la créature dansant et grimaçant derrière les rideaux orangés, et cette vision l'empêchait de manger.

– Calme-toi, imbécile. Je l'ai fait disparaître ! lui dit Gwendoline d'une voix qui tremblait de rage.

CHAPITRE SIX

Une fois dans sa chambre, Gwendoline donna libre cours à sa fureur. Elle sauta sur son lit et se mit à jeter des coussins dans tous les sens en poussant des cris de rage. Chat se tenait prudemment à l'écart, adossé au mur, et attendait patiemment qu'elle se calme. Mais Gwendoline ne semblait devoir se calmer qu'après avoir maudit une bonne centaine de fois le nom de Chrestomanci.

– Je hais cet endroit ! hurlait-elle sans relâche. Ils essaient de tout enfouir sous des montagnes de coton, de sucreries et de bonnes manières ! Quelle bande d'hypocrites ! Je les hais ! Je les hais tous !

Ses éclats de voix mouraient au milieu du velours, impitoyablement absorbés par le silence moelleux du château.

– Tu entends ? hurlait Gwendoline. Ce château est tapissé d'un duvet de délicatesse infecte ! Je dévaste leur pelouse, et ils m'offrent du thé. Je fais apparaître une ravissante créature, et ils ferment les rideaux. « Frazier, voulez-vous fermer les rideaux, je vous prie... » Tu sais quoi ? Chrestomanci me donne de l'urticaire !

89

– Je n'ai pas trouvé que c'était une ravissante créature, dit Chat en frissonnant.

– Ah ! ah ! Tu ne savais pas que je pouvais faire ça, hein ? ricana Gwendoline. Mais ce n'était pas pour te faire peur à toi, espèce d'imbécile ! C'était pour donner un choc à Chrestomanci. Je le hais, tu comprends ! Môssieur se croit le plus fort ! Môssieur ne daigne pas s'intéresser à ce que je fais !

– Pourquoi nous a-t-il amenés ici, si tu ne l'intéresses absolument pas ? demanda Chat.

Cela sembla frapper Gwendoline.

– Je n'y avais pas pensé, dit-elle. C'est peut-être très important… Va-t'en. J'ai besoin d'y réfléchir. De toute façon, ajouta-t-elle menaçante, je vais l'intéresser. Crois-moi. Je vais faire quelque chose chaque jour, jusqu'à ce qu'il lui soit impossible de ne pas le remarquer !

Une fois de plus, Chat se retrouva seul et mélancolique. Se rappelant les paroles de Milly, il se rendit à la salle de jeux. Mais Julia et Roger y jouaient aux petits soldats, agenouillés sur le vieux tapis. Les petits grenadiers de plomb bougeaient tout seuls. Certains poussaient un canon, d'autres, couchés derrière des coussins, tiraient des coups de feu à peu près aussi bruyants que le tic-tac d'un réveil. Julia et Robert se tournèrent vers Chat avec des airs de coupables pris sur le fait.

– Tu ne le diras pas, hein ? lui demanda Julia.

– Tu veux venir jouer aussi ? proposa gentiment Robert.

– Oh, non merci ! répondit Chat avec précipitation.

Il savait qu'il ne pourrait jamais participer à un jeu de ce genre, tout du moins sans l'aide de Gwendoline. Mais, pour l'heure, il n'était pas prudent d'aller déranger Gwendoline. Chat n'avait donc rien à faire. Il se souvint néanmoins que Milly l'avait vivement encouragé à explorer le château. Se sentant d'humeur audacieuse, il décida de suivre ce conseil.

Le château était étrange la nuit. De pâles petites lumières électriques brillaient à intervalles réguliers. Le tapis vert luisait doucement, et tout se reflétait sur le sol ciré et sur les murs, avec plus d'intensité que le jour.

Chat marchait à pas feutrés, accompagné par les nombreuses silhouettes de son propre reflet. Il en arrivait à douter d'être réel lui-même. Toutes les portes qu'il voyait étaient fermées. De temps en temps, il y collait l'oreille ; il n'entendait jamais rien, mais n'osait pas les ouvrir pour autant.

Il marchait ainsi depuis un bon moment quand il s'aperçut qu'il avait rejoint la partie ancienne du château. Ici, les murs de pierre étaient blanchis à la chaux, et le rebord des fenêtres avait au moins un mètre de profondeur. Chat se trouva soudain au pied d'un escalier qui était la réplique exacte de celui menant à sa chambre, sauf qu'il tournait en sens inverse. Il commença à gravir les marches avec précaution.

Il abordait le dernier tournant lorsqu'il entendit une porte s'ouvrir à l'étage. Un rectangle lumineux apparut sur le mur, au sommet de l'escalier. A l'intérieur de ce rectangle se découpait une silhouette qui ne pouvait qu'être celle de Chrestomanci. Personne d'autre ne pouvait avoir une ombre aussi grande, avec une tête dont pas une mèche de cheveux ne dépassait. Personne d'autre ne pouvait porter une chemise au jabot si imposant. Chat s'arrêta net.

– Espérons que cette misérable gamine en restera là.

C'était la voix de Chrestomanci. Il ne semblait plus désinvolte, ni indifférent. Il parlait avec un sérieux où perçait la colère. Un peu plus éloignée, la voix de M. Saunders se fit entendre.

– Franchement je commence à en avoir assez de cette petite. Il serait temps qu'elle ait un peu de plomb dans la cervelle ! Mais qu'est-ce qui lui a pris de dévoiler ainsi la source de son pouvoir ?

– L'ignorance, dit gravement Chrestomanci. Je crois que si elle avait la moindre idée de ce qu'elle a fait exactement, elle n'oserait jamais recommencer une expérience de ce genre, ou de tout autre genre d'ailleurs.

– J'avais le dos tourné à la fenêtre, dit M. Saunders. Lequel était-ce, le numéro 5 ?

– Non, il m'a semblé que c'était le numéro 3. Un revenant, répondit Chrestomanci. Oh, dans un sens nous avons eu de la chance.

Il commença à descendre l'escalier. Chat était paralysé par la peur.

– Il faut que je convainque la commission d'examen de réviser ses manuels de magie élémentaire et d'y inclure davantage de théorie, ajouta Chrestomanci tout en continuant à descendre. Ces sorciers de bas étage poussent leurs élèves doués directement au niveau supérieur, sans même leur avoir donné de bases correctes. Oh, bonsoir ! Je ne savais pas que tu étais là. Cela te dirait de monter voir l'atelier de Michael ?

Chat fit oui de la tête. Il n'avait pas le choix. Cependant Chrestomanci semblait tout à fait amical, tout comme M. Saunders d'ailleurs.

– Tiens, Eric ! lança-t-il de son ton enjoué habituel. Vas-y, jette un coup d'œil. Est-ce que ces objets te disent quelque chose ?

Chat fit non de le tête. La pièce était ronde comme sa chambre mais plus grande, et elle avait bien les caractéristiques d'un atelier de magicien. Même pour Chat, qui n'était pas un spécialiste, certaines d'entre elles sautaient aux yeux. Il reconnaissait l'étoile à cinq branches peinte sur le sol, et l'odeur de cardamome qui brûlait lui rappelait sans conteste le parfum qui planait dans Coven Street, à Wolvercote. En revanche, il ne savait absolument pas à quoi servaient les divers objets que M. Saunders avait disposés sur de grandes tables à tréteaux. L'une d'elles était encombrée de tubes et d'alambics, certains vides, d'autres emplis de liquides bouillonnants aux couleurs étranges. Sur une autre table étaient empilés des dizaines de livres et de rouleaux de parchemin. Une troisième était entièrement couverte de signes ésotériques tracés à la craie, au milieu desquels gisait une créature momifiée d'espèce indéfinissable.

Les yeux de Chat allèrent lentement d'une table à l'autre, se posèrent ensuite sur d'autres livres entassés sur des étagères contre le mur courbe, puis sur d'autres étagères chargées de grands bocaux tels qu'on en voyait dans les confiseries. Chat se rendit compte que M. Saunders était loin d'être un amateur. Il parvint à lire certaines des étiquettes collées sur les bocaux : yeux de tritons, gomme arabique, herbe de la Saint-Jean, sang de dragon lyophilisé… Ce dernier bocal était rempli d'une poudre brune.

Le regard de Chat revint sur l'animal momifié, étendu au milieu des signes tracés à la craie. Ses pattes étaient terminées par des griffes semblables à celles d'un chien. A priori, on eût dit qu'il s'agissait d'une sorte de gros lézard. Mais il semblait avoir des ailes repliées sur le dos. Chat était presque certain que c'était un petit dragon.

– Ça te semble plutôt bizarre, hein ? dit M. Saunders.

Chat se retourna et vit que Chrestomanci était parti. Il se sentit aussitôt un peu plus à l'aise.

– Ça a dû coûter très cher, murmura-t-il.

– Le contribuable paie, heureusement, dit M. Saunders. Tu aimerais apprendre à quoi servent toutes ces choses ?

– Vous voulez dire apprendre la sorcellerie ? demanda Chat. Oh, non merci. Et puis d'ailleurs, je n'y arriverais pas.

– Ce n'est pas exactement ce que je voulais dire, observa M. Saunders. Mais qu'est-ce qui te fait croire que tu n'y arriverais pas, dis-moi ?

– Parce que je ne peux pas, expliqua Chat. Les formules magiques ne marchent jamais avec moi.

– Es-tu certain de t'y être pris de la bonne façon ? dit M. Saunders.

Ce disant, il marcha vers le dragon momifié – enfin ce qui y ressemblait – et l'effleura distraitement. Au grand dégoût de Chat, la momie fut parcourue de tressaillements. Les ailes translucides se secouèrent et se dressèrent sur son dos. Puis elle retomba inerte. Chat opéra un repli stratégique vers la porte. Il était aussi effrayé que lorsque Mlle Larkins s'était mise à parler avec une voix d'homme. D'ailleurs, à la réflexion, Chat se disait que cette voix n'était pas très éloignée de celle de M. Saunders.

– Euh… je m'y suis pris de toutes les façons. Enfin… de toutes les façons qui me venaient à l'esprit, dit Chat en reculant. Je n'ai même pas réussi à changer des boutons en or. Et pourtant, ça, c'était facile.

M. Saunders se mit à rire :

– Peut-être n'as-tu pas été assez ambitieux ! Bon, eh bien, file, si tu veux partir.

Chat ne se le fit pas répéter deux fois. Il dévala quatre à quatre les marches de l'escalier en colimaçon, et ne commença à se sentir en sécurité qu'une fois revenu dans la partie du château qui lui était familière. Il songea à avertir Gwendoline que Chrestomanci avait tout de même été intéressé par son apparition, et qu'elle l'avait même mis en colère. Mais Gwendoline avait fermé sa porte à clé, et elle fit la sourde oreille.

Il voulut lui en parler le lendemain matin. Malheureusement, Euphémie arriva en même temps que lui dans la chambre. Elle apportait une lettre que Gwendoline lui arracha des mains. Chat reconnut l'écriture hachée de M. Nostrum sur l'enveloppe. L'instant d'après, Gwendoline se mettait en colère.

– Qui a fait ça ? Quand est-elle arrivée ?

Le bord de l'enveloppe avait été soigneusement tranché sur toute sa longueur.

– Ce matin. Enfin, d'après le cachet de la poste, dit Euphémie. Et cesse de me regarder comme ça ! Mlle Bessemer me l'a donnée ouverte.

– Elle a osé ! s'écria Gwendoline. Mais comment peut-elle oser lire mes lettres ? Je vais immédiatement le dire à Chrestomanci !

– Tu risques de le regretter ! lança Euphémie au moment où Gwendoline se ruait vers la porte.

Gwendoline se retourna :

– Oh, je ne t'ai pas sonnée, toi, face de grenouille !

Chat trouva ce qualificatif un peu injuste. Euphémie était une très jolie femme, bien qu'elle eût effectivement des yeux un tantinet globuleux.

– Allez viens, Chat ! lui cria Gwendoline en s'élançant dans le couloir, sa lettre à la main.

Chat courut derrière elle et, cette fois encore, ne la rattrapa qu'au bord du grand escalier de marbre.

– Chrestomanci ! rugit Gwendoline, sans obtenir d'autre résultat qu'un petit cri rauque et sans écho.

Chrestomanci montait les marches de marbre, drapé dans une ample robe de chambre, orange et rose fuchsia, tel l'empereur du Pérou. Son regard perdu dans le vague témoignait qu'il n'avait toujours pas remarqué la présence de Gwendoline et de Chat.

Gwendoline le héla :

– Hé, vous ! Venez ici tout de suite !

Chrestomanci leva vers elle un visage étonné.

– Quelqu'un se permet d'ouvrir mon courrier, cria Gwendoline. Je me moque de savoir qui, mais s'il croit que ça va se passer comme ça, il se met le doigt dans l'œil !

– Dans l'œil, ou dans ton courrier, il faudrait savoir…

– Il se fait des illusions ! s'impatienta Gwendoline. A l'avenir j'exige que mes lettres m'arrivent fermées !

– Tu veux dire qu'il faudra les ouvrir à la vapeur et les recoller ensuite ? dit Chrestomanci avec hésitation. Ce n'est pas très pratique, mais enfin, si ça peut te faire plaisir…

Gwendoline explosa :

– Ah, parce que c'est vous ! Vous avez lu une lettre qui m'était adressée, à moi !

Chrestomanci approuva en souriant :

– Mais naturellement. Si quelqu'un comme Henry Nostrum t'envoie une lettre, je dois m'assurer qu'il n'écrit rien d'inconvenant. C'est quelqu'un de si peu recommandable.

– C'était mon professeur ! dit Gwendoline en s'étranglant de rage. Je vous interdis de parler de lui comme ça !

– Il est tout à fait regrettable, poursuivit calmement Chrestomanci, que tu aies été formée par un sorcier de bas étage comme Henry Nostrum. Tu auras beaucoup à désapprendre. Et il est également regrettable que tu ne m'autorises pas à lire ton courrier. J'espère que tu n'en recevras pas trop, sinon ma conscience ne me laissera pas en paix.

– Vous entendez continuer ! s'exclama Gwendoline. Alors faites attention ! Je vous avertis !

– C'est très aimable de ta part, dit Chrestomanci en souriant. J'aime être averti.

Il monta les dernières marches de l'escalier et passa devant Gwendoline et Chat. Le bas de la robe de chambre orange et rose s'envola légèrement, découvrant une doublure rouge écarlate. Chat ouvrit des yeux grands comme des soupières. L'œil furibond, Gwendoline regarda l'extraordinaire robe de chambre qui s'éloignait gracieusement dans la galerie.

– C'est ça, fais comme si je n'étais pas là, dit-elle entre ses dents, fais tes plaisanteries... Tu vas voir. Non mais tu l'as entendu, Chat ?

– Tu as été très malpolie, dit Chat.

– Il le méritait, rétorqua Gwendoline en se dirigeant à grands pas vers la salle de jeux. Ouvrir la lettre du pauvre M. Nostrum ! En fait je m'en moque qu'il l'ait lue. Nous avons décidé d'un code, alors ce filou de Chrestomanci ne saura jamais exactement de quoi il s'agit. Mais il y a la signature, et puis c'est une insulte. C'est humiliant. Je suis à leur merci dans ce château. Je suis seule. Ils me persécutent, et je ne peux même pas les empêcher de lire mes lettres ! Mais je leur montrerai ! Ah, ils vont voir !

Chat se gardait bien de prononcer un mot. Gwendoline entra en coup de vent dans la salle de jeux, se jeta sur sa chaise et se mit à lire la fameuse lettre.

– Je te l'avais dit ! chanta Euphémie d'une voix moqueuse.

Gwendoline la fusilla du regard :

– Toi aussi, tu vas voir ! siffla-t-elle entre ses dents.

Puis elle se replongea dans sa lettre. Au bout d'un moment, elle regarda à l'intérieur de l'enveloppe.

– Il y en a une pour toi aussi, dit-elle à Chat en lui tendant une feuille pliée en quatre. N'oublie pas d'y répondre.

Inquiet, Chat prit la feuille en se demandant avec inquiétude pourquoi diable M. Nostrum lui écrivait. Mais la lettre était de Mme Sharp :

Mon cher Chat,

Alor coment vatu mon chéri? Je me sans bien seul vous me manquer tout les deux surtou toi la maison est si tranquile. Maime si javai en vie d'un peut de pai mai je sui triste deplu tentendre et jaimerai que tu est revenu ma porté des pomme. Quelquechose est arrivé et s'est un meussieu qui est venu et m'a donner cinq livres pour le vieu chat qui été ton violon et jétai contente et je voulai faire un paquais de bonzomes en pin des pices et peutaitre te la porté un de séjour mai M. Nostrum di qu'il ne fallé pas. De toute fasson tu doi pas manqué de rien la ou tu est. Embrace Gwendoline pour moi. Jaimeraique tu reviende ici Chat et largent je men moque.

Baisers,

Ellen Sharp

A la lecture de cette lettre, Chat se sentit submergé de tendresse, de joie et, en même temps, sa gorge se noua. Mme Sharp lui manquait autant que lui-même paraissait lui manquer. Sa nostalgie était telle qu'il ne put manger ses tartines et que le chocolat resta coincé dans sa gorge. Plus tard, pendant le cours, il fut incapable de se concentrer un instant sur ce qui se passait autour de lui.

– Il y a quelque chose qui ne va pas, Eric ? s'enquit M. Saunders.

Chat faisait un effort douloureux pour ramener ses pensées de Coven Street, lorsque la pièce fut soudain plongée dans l'obscurité. La fenêtre venait de se voiler brusquement. Julia poussa un petit cri aigu. M. Saunders marcha à tâtons jusqu'à l'interrupteur et alluma la lumière. Au même instant, la fenêtre redevint transparente, révélant un Roger qui souriait jusqu'aux oreilles, une Julia parfaitement hébétée et une Gwendoline impassible. Le doigt encore posé sur l'interrupteur, M. Saunders la regardait d'un œil mauvais.

– Je suppose que la cause de cela se trouve en dehors de l'enceinte du château, n'est-ce pas ?

– Exactement, répondit Gwendoline d'un air suffisant. Je l'ai posé juste de l'autre côté du portail.

Chat comprit que Gwendoline avait déclenché les hostilités. La fenêtre se voila de nouveau.

– Et peut-on savoir quelle sera la fréquence de cette excellente plaisanterie ? demanda M.Saunders.

– Deux fois par quart d'heure, répondit Gwendoline.

– Je te remercie, dit M. Saunders d'un ton glacial, et il laissa la lumière allumée. Eh bien, Gwendoline, tu vas copier cent fois : « Je dois comprendre l'esprit d'une règle et non l'interpréter au pied de la lettre. » Et toi, Roger, cesse de faire l'imbécile heureux.

Pendant la journée entière, toutes les fenêtres du château se voilèrent régulièrement deux fois par quart d'heure. Mais si Gwendoline espérait mettre Chrestomanci en colère, elle se trompait. Rien ne se produisit. Simplement, les lumières du château restèrent allumées toute la journée. Et personne ne sembla le moins du monde contrarié.

Avant le déjeuner, Chat se rendit sur la pelouse pour voir quelle impression cela donnait de l'extérieur. C'était comme si deux volets noirs balayaient régulièrement les rangées de fenêtres. Ils commençaient tout en haut à droite, balayaient la deuxième rangée de la gauche vers la droite, puis la troisième de la droite vers la gauche, et ainsi de suite jusqu'à la rangée la plus basse. Les fenêtres étaient dégagées suivant le même ordre, en commençant également par la première en haut à droite. Chat venait d'observer un cycle complet, quand il remarqua Roger à ses côtés, qui regardait d'un air critique, les mains dans les poches.

– Ta sœur doit plutôt être du genre maniaque, constata-t-il.

– Il me semble que tous les magiciens sont comme ça, dit Chat.

Puis il eut honte : il avait oublié que Roger était magicien lui-même, ou du moins s'apprêtait à le devenir.

– Non, je ne suis pas maniaque, dit Roger, pas le moins du monde vexé. Julia ne l'est pas non plus. Et je ne pense pas que Michael le soit, sincèrement. Est-ce que tu aimerais venir jouer avec nous dans notre cabane ?

Chat se sentit très flatté. Cela lui fit tellement plaisir qu'il en oublia provisoirement la lettre de Mme Sharp et son propre chagrin. Il passa une très belle soirée dans le bois à aider à la reconstruction du toit de la cabane. Lorsque le gong retentit, il revint au château et remarqua que le sort jeté par Gwendoline commençait à s'estomper. Quand les fenêtres se voilaient, cela ne produisait plus à l'intérieur qu'une semi-obscurité. Le lendemain matin, tout était fini et Chrestomanci n'avait pas prononcé un seul mot.

Gwendoline repartit à l'attaque le jour suivant. Elle attrapa le garçon livreur de la boulangerie au moment où il passait à bicyclette la grille du château, avec une grande caisse pleine de miches de pain. Le garçon arriva dans les cuisines un peu hébété, et se plaignant que la tête lui tournait. Ce jour-là, les enfants eurent au petit déjeuner

des petits pains au lait sortis de la réserve. Il semblait que les choses les plus étranges se fussent produites quand on avait voulu toucher aux miches de pain frais.

– Grâce à toi nous avons bien ri, dit Mary en sortant les pains au lait du monte-charge. C'est d'ailleurs le seul avantage de ta mauvaise conduite. Robert a cru qu'il devenait fou quand il s'est vu en train d'essayer de trancher une vieille botte. A ce moment-là, Nancy a pris un autre pain et, deux secondes après, Ann et elle essayaient de grimper sur la même chaise parce qu'il en était sorti des souris blanches qui trottaient dans toute la cuisine. Mais c'est la tête de M. Frazier qui m'a fait le plus rire, quand il a dit : « Laissez-moi faire » et qu'il s'est retrouvé en train de tailler un caillou. Alors il…

– Ne l'encourage pas, voyons. Tu sais bien comme elle est, coupa Euphémie.

– Vous, vous aurez bientôt des ennuis, lui promit Gwendoline.

Roger alla discrètement questionner Mary sur ce qu'il était advenu des autres miches de pain. L'une s'était transformée en lapin blanc, une autre en un œuf d'autruche qui s'était brisé, provoquant une inondation spectaculaire. Une autre enfin était devenue un énorme oignon blanc. Ensuite l'imagination de Gwendoline s'était tarie, et elle avait changé le reste en fromage.

– Oui mais du fromage à moitié moisi, dit Roger.

On ne sut pas si Chrestomanci avait la même considération pour l'esprit inventif de Gwendoline car, une fois de plus, il ne prononça pas un mot sur l'incident.

Le lendemain était un samedi. Gwendoline intercepta le fermier qui livrait tous les matins le lait au château. Le chocolat chaud du petit déjeuner avait un goût épouvantable.

– Je commence à en avoir assez, dit Julia d'un ton aigre. Peut-être que papa n'y fait pas attention, il boit du thé au citron le matin, lui.

Et elle lança à Gwendoline un regard significatif. Gwendoline la regarda en retour, et il y eut entre elles un combat invisible, comme celui que Chat avait surpris lors de l'incident des boucles d'oreilles avec Mme Sharp. Mais, cette fois, Gwendoline ne s'en tira pas si bien. Elle baissa les yeux et prit un air maussade.

– De toute façon, j'en ai assez de me lever tôt, grogna-t-elle.

De la part de Gwendoline, cela signifiait simplement que ses petites activités commenceraient plus tard dans la journée, à l'avenir. Julia croyait avoir battu Gwendoline, mais elle faisait erreur.

Ils eurent cours pendant toute la matinée, ce qui contraria beaucoup Gwendoline.

– Nous faire travailler le samedi matin, il ne manquait plus que ça ! dit-elle indignée à M. Saunders. Et je peux savoir pourquoi on nous inflige cette torture supplémentaire ?

– C'est le prix qu'il me faut payer pour mon congé le mercredi après-midi, répondit M. Saunders. Et, à propos d'infliger des tortures, j'aimerais que, dorénavant, tu ensorcelles autre chose que le lait.

– Je m'en souviendrai, dit doucement Gwendoline.

Chapitre sept

Il pleuvait à torrents cet après-midi-là.

Gwendoline s'était enfermée dans sa chambre et, une fois de plus, Chat s'ennuyait. Il écrivit à Mme Sharp la carte postale qu'il avait achetée, mais cela ne lui prit que dix minutes. Et le temps était trop mauvais pour aller la poster. Chat tournait en rond au pied de son escalier, se demandant ce qu'il pourrait bien faire, lorsque Roger sortit de la salle de jeux et l'aperçut.

– Ah, chic ! fit Roger. Julia n'a pas envie de jouer aux soldats, tu veux venir y jouer avec moi ?

– Mais je ne peux pas. Pas comme toi, objecta Chat.

– Ça n'a pas d'importance, répondit Roger, vraiment je t'assure.

Mais cela en avait. Chat eut beau déployer tous ses talents de stratège, dès que les soldats de Roger se mirent en marche, les siens tombèrent comme des mouches. Ils s'effondraient par rangées, par paquets, par bataillons entiers. Chat se démenait furieusement, tentait de les faire avancer en les prenant à pleines poignées. Hélas, de tous côtés, il était obligé de battre en retraite.

Au bout de cinq minutes, son armée était réduite à trois soldats cachés derrière un coussin.

– Ça ne va pas, dit Roger.

– Non, ça ne va pas, soupira Chat.

– Julia ?

– Quoi ? dit Julia.

Pelotonnée dans le fauteuil le plus usé, elle tentait de manger une sucette, de lire un livre intitulé *Dans les mains des lamas* et de tricoter en même temps. De ce fait, son tricot ressemblait à une veste conçue pour une girafe souffrant d'une scoliose.

– Tu peux faire bouger les soldats de Chat pour lui ? demanda Roger.

– Je chuis en crain de lire, répondit Julia entre deux claquements de langue. Ch'est kerrible, y en a un qui ch'est per'u et les jautres che demandent ch'il est mort ou pas.

– Allez, quoi ! insista Roger. Si tu ne veux pas, je te dirai ce qu'il est devenu.

– Si tu fais ça, je transforme ton pantalon en glaçon ! fit paisiblement Julia, lâchant pour la circonstance sa sucette. Bon, c'est d'accord.

Sans quitter son livre des yeux, et ayant au préalable remis sa sucette dans sa bouche, elle sortit son mouchoir de sa poche et y fit un nœud. Puis elle posa le mouchoir sur le bras du fauteuil et reprit son tricot.

Les soldats de Chat se mirent debout et réajustèrent leur tunique de plomb. C'était là une amélioration certaine. Cependant la situation n'était pas entièrement satisfaisante : en effet, Chat ne pouvait commander à ses soldats. Il était obligé de les chasser de la main pour qu'ils prennent la bonne direction, et cela ne semblait pas leur plaire.

Ils levaient des visages consternés, parfois affolés, vers les grandes mains qui s'agitaient fébriles au-dessus d'eux. Chat était même sûr d'en avoir vu un s'évanouir de peur. Mais il parvint tout de même, au bout de quelques minutes, à ce que son armée ressemble un peu à celle qu'il souhaitait au départ, et il en fut très fier.

Roger donna le coup d'envoi de la bataille. Dans l'ensemble, les soldats paraissaient avoir compris ce que l'on attendait d'eux et se battaient docilement. Chat avait une compagnie de réserve dissimulée derrière un coussin. A un moment crucial, il la poussa fiévreusement de la main pour qu'elle tombe par surprise sur l'aile droite de l'armée de Roger. Les soldats de Roger ne tardèrent pas à se ressaisir et se mirent à combattre l'assaillant avec rage. C'est alors que, sous les yeux du pauvre Chat déconcerté, tous les membres de sa compagnie de réserve firent demi-tour et prirent leurs jambes à leur cou. Apercevant les déserteurs, le reste de son armée s'empressa de les imiter. Quelques instants plus tard, les hommes de Chat se battaient pour entrer dans le coffre à jouets, et ceux qui avaient le malheur d'être à la traîne se faisaient massacrer par les soldats de Roger.

Roger semblait exaspéré :

– Les soldats de Julia prennent toujours la fuite ! s'exclama-t-il.

– Parce que c'est exactement ce que je ferais à leur place, intervint Julia, en glissant une des aiguilles à tricoter dans son livre afin d'en marquer la page. Et je ne comprends pas que tous les soldats n'en fassent pas autant.

– Essaie tout de même de les rendre un peu plus courageux, plaida Roger, ce n'est pas très juste pour Eric.

– Tu m'as seulement demandé de les faire bouger, fit remarquer Julia.

A cet instant, la porte s'ouvrit et Gwendoline passa la tête à l'intérieur.

– Je veux que Chat vienne me voir.

– Il est occupé, dit Roger.

– Tant pis, j'ai besoin de lui, rétorqua Gwendoline.

Julia brandit une de ses aiguilles à tricoter en direction de Gwendoline et décrivit une petite croix. La croix se mit à briller et flotta quelques instants dans l'air.

– Dehors, dit Julia. Va-t'en.

Gwendoline blêmit. Elle se mit à reculer devant la croix comme si elle n'avait pu faire autrement et elle referma la porte. Julia sourit placidement et pointa son aiguille vers les soldats de Chat.

– Tu peux y aller, dit-elle, j'ai rempli leur cœur de courage.

Quand le gong retentit, Chat, vaguement inquiet, partit à la recherche de Gwendoline. Il la trouva allongée sur son lit, absorbée par la lecture d'un livre volumineux. Elle ne parut même pas remarquer sa présence. Chat parvint à déchiffrer, à l'envers, le titre du livre : *Encyclopédie de l'au-delà*. Edition revue et corrigée.

Gwendoline se mit à rire :

– Ça y est ! J'ai compris comment ça marche ! s'exclama-t-elle. C'est encore mieux que ce que je pensais. Je sais exactement ce qu'il faut faire maintenant.

Puis elle leva les yeux et demanda à Chat ce qu'il faisait dans sa chambre.

– Je voulais savoir pourquoi tu avais besoin de moi, dit Chat. Où tu l'as trouvé ce livre ?

– Dans la bibliothèque du château, dit Gwendoline. Et je n'ai plus besoin de toi maintenant. J'allais t'expliquer quels sont les plans de M. Nostrum, et j'avais même pensé te parler de mes propres plans, mais j'ai changé d'avis. Après tout, si tu préfères t'amuser avec ces deux abrutis et laisser cette petite dinde me mettre dehors...

– Je ne savais pas que M. Nostrum avait des plans, dit Chat. Le gong a déjà sonné.

– Je sais, j'ai entendu. Evidemment qu'il a des plans. Pourquoi crois-tu que j'ai écrit à Chrestomanci ? ricana Gwendoline. Et n'essaie pas de m'embobiner, je ne te dirai rien. Tu le regretteras, ça je te le promets. Quant à cette dinde de Julia, elle va le regretter aussi, et pas plus tard que ce soir !

Gwendoline prit en effet sa revanche sur Julia au début du dîner. Tandis que Julia se servait de la soupe, la jupe qu'elle portait disparut pour se transformer en une masse de serpents.

– Mon Dieu, ayez pitié de nous ! s'écria le valet.

Puis il renversa le contenu de la soupière sur Julia et ses voisins. Julia sursauta en poussant un cri de terreur. Il s'ensuivit un silence de mort, que venaient seulement troubler les sifflements des serpents.

Ils étaient une vingtaine, suspendus par la queue à la ceinture de Julia, qui se contorsionnaient et dressaient leurs têtes menaçantes.

Tous retenaient leur souffle autour de la table, les yeux braqués sur Julia. Figée comme une statue, les bras levés hors d'atteinte des serpents, elle avala sa salive et prononça les mots d'une formule.

– Brave fille, murmura M. Saunders.

Sous l'incantation, les serpents se raidirent et s'étalèrent en éventail, formant un étrange tutu autour des jupons de Julia. Tout le monde pouvait voir qu'elle avait déchiré un des jupons en réparant la cabane et qu'elle l'avait reprisé en catastrophe avec de la laine rouge. Mais, pour l'instant, cela n'intéressait personne.

– As-tu été mordue ? demanda Chrestomanci.

– Non… dit Julia, grâce à la soupe, je crois. Si vous voulez bien, je vais aller me changer maintenant.

Elle quitta la pièce en marchant tout doucement, avec précautions, et Milly l'accompagna. Pendant que les valets, plus verts les uns que les autres, commençaient à nettoyer la soupe renversée, Chrestomanci déclara avec calme :

– La méchanceté est une chose que je ne tolérerai pas à ma table. Gwendoline, tu m'obligeras en te rendant immédiatement à la salle de jeux. Ton repas t'y sera apporté.

Gwendoline se leva et sortit sans un mot. Comme Julia et Milly ne revinrent pas finir leur dîner, la table sembla bien vide ce soir-là. D'un côté ce n'était que valeurs boursières et, de l'autre, M. Saunders s'était lancé dans un discours sur la sculpture.

Chat trouva Gwendoline plutôt contente d'elle.

– Il commence tout de même à réagir, dit-elle d'un ton satisfait. Et il n'a pas encore tout vu...

Elle était déjà prête pour l'attaque du lendemain.

Le dimanche matin, toute la famille mettait ses plus beaux vêtements pour se rendre à la messe de dix heures, à l'église du village. En règle générale, les sorcières ne sont pas supposées apprécier l'ambiance des églises. Pas plus qu'elles ne sont supposées y faire de la magie. Mais cette règle ne s'était jamais appliquée à Gwendoline. Mme Sharp avait vu là une preuve supplémentaire des talents exceptionnels de sa protégée.

Ce dimanche matin, donc, Gwendoline était assise à côté de Chat sur le banc réservé aux habitants du château Chrestomanci. Elle était l'image même de l'innocence et de la réserve dans sa robe du dimanche en broderie anglaise, le nez pieusement plongé dans son livre de prières.

Les gens du village se poussaient du coude et chuchotaient dans son dos. Cela faisait plutôt plaisir à Gwendoline. Elle y voyait un début de célébrité.

Elle continua de jouer les petites filles modèles jusqu'au sermon.

Le prêtre monta en chaire d'un pas mal assuré et il commença à lire son texte d'une voix chevrotante. « Car bien des membres de cette assemblée ne sont pas sanctifiés. » C'était là une phrase pleine d'à-propos. Malheureusement, la suite ne l'était plus du tout : le vieux prêtre se mit à leur raconter certains épisodes de son enfance et les compara avec d'autres événements qu'il voyait se produire actuellement. Il conclut que ces personnes feraient mieux de se repentir, sinon toutes sortes de choses – sur lesquelles il ne donna aucun détail – arriveraient, ce qui lui rappelait d'ailleurs une histoire que lui racontait souvent une de ses vieilles tantes.

A ce moment du sermon, M. Saunders s'était déjà endormi, tout comme M. Valeurs boursières. Mais la vieille dame aux gants approuvait régulièrement de la tête. Soudain, un évêque, qui était peint sur l'un des vitraux, fut pris de bâillements et mit poliment sa crosse devant sa bouche. Puis il tourna la tête vers sa voisine, une imposante religieuse qui se tenait raide comme la justice sous son voile. L'évêque allongea alors tranquillement le bras et frappa à plusieurs reprises la religieuse sur l'épaule, avec sa crosse. Elle sursauta et s'avança, menaçante, vers l'évêque qui riait de bon cœur. Puis elle saisit l'évêque par les pans de son étole et le secoua violemment.

Chat avait tout de suite remarqué l'anomalie. Il regarda avec des yeux ronds l'évêque de verre teinté donner des coups à la religieuse, et celle-ci lui rendre la monnaie de sa pièce. Pendant ce temps, dans le vitrail voisin, un saint hirsute s'était méchamment jeté sur le personnage qui lui faisait face, une sorte d'entité royale qui tenait entre ses mains une maquette du château.

Le « roi » laissa tomber la maquette et courut se mettre à l'abri, en faisant tinter ses pieds de verre, derrière la robe d'une sainte au sourire hypocrite. Quant au saint hirsute, il sautait joyeusement à pieds joints sur la maquette du château.

Un à un, tous les vitraux s'animèrent. Chaque personnage se battait contre son voisin avec ardeur. Ceux qui étaient seuls dans leur vitrail, et n'avaient personne sur qui taper, retroussaient leur robe et se mettaient à danser, à sauter à cloche-pied, ou faisaient de grands signes au prêtre qui, toujours perdu dans ses états d'âme, n'avait rien remarqué. Les angelots qui soufflaient dans des trompettes au coin de chaque vitrail gambadaient, faisaient des pirouettes, des cabrioles et tiraient la langue à tous ceux qui les regardaient. Le saint hirsute délogea bientôt le roi de sa cachette et se mit à le poursuivre de vitrail en vitrail, bousculant sans vergogne tous ceux qui se trouvaient sur son passage.

Dans l'assemblée, personne ne s'occupait plus du prêtre. Les gens ouvraient de grands yeux, murmuraient, tournaient la tête de tous côtés pour suivre la cavalcade cristalline du roi et de son assaillant.

Il y avait tant de bruit, de rumeurs que M. Saunders se réveilla tout ahuri. Il leva les yeux, comprit et regarda sévèrement Gwendoline. Elle se tenait toujours assise bien droite, les yeux modestement baissés sur le livre de prières. Chat jeta un coup d'œil à Chrestomanci. Ce dernier semblait attentif à chaque parole du prêtre, comme s'il n'avait rien remarqué du tout. Milly, assise sur le bord du banc, paraissait très agitée. Et le vieux prêtre poursuivait son homélie, totalement inconscient du trouble qui régnait parmi ses fidèles.

Cependant, au bout de quelques minutes, comme le chahut s'intensifiait, le vicaire sentit qu'il était de son devoir de mettre fin au comportement inconvenant des vitraux. Il alla chercher un crucifix et un cierge. Suivi par un enfant de chœur congestionné par un fou rire qui faisait danser l'encensoir qu'il tenait, le vicaire alla de vitrail en vitrail, en murmurant des exorcismes. Très poliment, Gwendoline figeait chaque personnage sur place au passage du vicaire, si bien que le roi fut stoppé en pleine course au beau milieu d'un mur. Mais, dès que le vicaire eut le dos tourné, il se remit à courir et la mêlée générale reprit de plus belle, tandis que l'assemblée s'agitait de nouveau.

Chrestomanci se tourna vers M. Saunders, qui lui répondit d'un signe de tête. Il y eut soudain un petit éclair scintillant qui fit tressaillir Chat et, l'instant d'après, chaque vitrail avait retrouvé son aspect initial, qu'il semblait d'ailleurs n'avoir jamais perdu. Gwendoline leva la tête, indignée, puis elle haussa les épaules. Dans le fond de l'église, une énorme statue représentant un croisé se leva lourdement et bruyamment du tombeau sur lequel elle était couchée, et fit un pied de nez au prêtre.

– Mes chers frères... chevrotait-il.

Mais au même instant il vit la statue et s'arrêta net, atterré.

Le vicaire courut en direction du croisé, armé de son crucifix. Une lueur de colère traversa le visage de la statue qui leva son épée de pierre, menaçant le pauvre homme. M. Saunders fit alors un petit geste très vif et le croisé baissa son épée avant de retomber à sa place dans un fracas qui fit trembler l'église entière.

– Certains membres de cette assemblée ne sont certainement pas sanctifiés, dit tristement le prêtre. Prions, mes frères.

A la fin de la messe, Gwendoline sortit de l'église à pas

lents, la tête haute, flattée par les regards indignés dont elle était l'objet. Milly pressa le pas pour la rattraper et lui saisit le bras. Elle semblait très énervée.

– Ce que tu as fait est honteux, petite impie ! Je n'ose même pas aller parler au pauvre curé. Ne sais-tu donc pas qu'il y a des limites ?

– Les ai-je dépassées ? demanda Gwendoline, très intéressée.

– Tu n'en es pas loin, répondit froidement Milly.

Encore trop loin, semblait-il : Chrestomanci ne dit rien à Gwendoline. En revanche, il eut une grande conversation avec le curé et le vicaire, s'efforçant de les apaiser.

– Pourquoi est-ce que votre père ne dit rien à Gwendoline ? demanda Chat à Roger sur le chemin du retour. Moins il fait attention à elle, plus elle essaie de se faire remarquer.

– Je ne sais pas, dit Roger. Pourtant ça barde pour Julia et moi s'il nous surprend à utiliser la sorcellerie. Il pense peut-être qu'elle va se fatiguer. Est-ce qu'elle t'a dit ce qu'elle allait faire demain ?

Visiblement, Roger brûlait d'impatience.

– Non, elle me fait la tête parce que j'ai joué aux soldats avec vous, répondit Chat.

– C'est sa faute. Elle n'a qu'à pas penser que tu lui appartiens, dit gravement Roger. Allez viens, on va mettre de vieux habits et finir le toit de la cabane.

Gwendoline était furieuse de voir que Chat allait de nouveau jouer avec Roger. Peut-être cela lui donna-t-il l'idée du tour qu'elle allait faire le lendemain. Ou peut-être, comme elle l'affirma, avait-elle d'autres raisons. Quoi qu'il en soit, lorsque Chat se réveilla le lundi matin, il faisait noir. « Il doit être encore tôt », songea-t-il dans un bâillement. Il jeta un coup d'œil à la fenêtre et en conclut qu'il était vraiment très tôt. Il replongea alors voluptueusement sous les draps et se rendormit.

Il fut tout ébahi lorsque, quelques instants plus tard, Mary vint le secouer énergiquement.

– Il est neuf heures vingt, Eric ! Allez, debout !

– Mais il fait tout noir ! protesta Chat. Il pleut ?

– Non, dit Mary, ta sœur a encore fait des exploits. D'où tient-elle cette force ? Une petite gamine comme elle, ça me dépasse...

Fatigué, en proie à son allergie chronique du lundi matin, Chat s'extirpa péniblement du lit et constata qu'il ne voyait rien à travers les fenêtres. Chacune d'elles était totalement masquée par un épais mur de branchages et de brindilles entrelacées – des feuilles vertes, des ramilles de cèdre bleu, des aiguilles de pin et des feuilles mortes rouges et brunes. Une rose était pressée contre l'une des fenêtres, des grappes de raisin écrasées contre les vitres des deux autres. Au-delà, on eût dit qu'il y avait une épaisse forêt, profonde de plusieurs kilomètres.

– Ça alors ! souffla Chat.

– Regarde ! lança Mary. Ta sœur a pris tous les arbres du parc pour les planter le plus près possible du château. On se demande ce qu'elle ira imaginer ensuite !

L'obscurité rendait Chat mélancolique et le privait de toute énergie. Mais Mary ne quitta pas la chambre et l'obligea même à se laver. Chat trouvait cet excès de zèle plutôt louche. Il la soupçonna d'avoir tout simplement envie de raconter à quelqu'un les problèmes que causait le sortilège. Elle dit à Chat que les ifs étaient tellement serrés devant la porte de la cuisine, qu'il avait fallu y tailler un chemin pour la livraison du lait. Trois chênes avaient été poussés contre la porte principale, qui semblaient inébranlables.

– Et les pommes sont toutes coincées au milieu des ifs. A la cuisine, on se croirait dans une fabrique de cidre.

Chat se rendit sans enthousiasme à la salle de jeux. Il y faisait encore plus sombre que dans la chambre. Dans cette pénombre aux reflets verts, il remarqua que Gwendoline – c'était très compréhensible – avait très mauvaise mine. Cependant, elle semblait satisfaite.

– Je crois que je n'aime pas ces arbres, chuchota-t-il quand Roger et Julia furent partis dans la salle de classe. Tu n'aurais pas pu faire quelque chose de plus petit, de plus drôle ?

– Je ne suis pas là pour faire le clown, répliqua vertement Gwendoline. Il fallait que je le fasse. Il fallait que je sache jusqu'où peuvent aller mes pouvoirs.

– Eh bien tu dois être contente, dit Chat en regardant la masse de feuilles de châtaignier pressée contre la fenêtre.

Gwendoline sourit fièrement :

– Et tu verras quand j'aurai mon sang de dragon !

Chat faillit laisser échapper qu'il avait vu du sang de dragon dans l'atelier de M. Saunders, mais il se retint à temps. Il ne tenait pas à favoriser de telles démonstrations de pouvoirs.

Ils passèrent donc une seconde matinée avec les lampes allumées et, à l'heure du déjeuner, Chat, Julia et Roger allèrent jeter un coup d'œil dehors. Ils furent un peu déçus en constatant qu'il était très facile de sortir par la petite porte. Les rhododendrons en étaient éloignés d'un bon mètre. Chat pensa que Gwendoline leur avait volontairement laissé un passage, lorsqu'il comprit, à la vue des branches pendantes et des feuilles écrasées, que les arbustes avaient eux aussi été plaqués contre la porte, le matin. On aurait dit que les arbres et les buissons battaient en retraite.

Au-delà des rhododendrons, ils se trouvèrent aux prises avec une véritable jungle. Les arbres étaient tellement serrés les uns contre les autres que les feuilles et les jeunes rameaux n'étaient pas les seuls à en avoir souffert. Même de grosses branches avaient été cassées. Certaines étaient tombées au milieu des roses, des clématites et des raisins écrasés. Quand, finalement, ils sortirent de cette forêt vierge, la lumière du jour les frappa violemment. Ils clignèrent des yeux, aveuglés pendant quelques instants. Ils s'aperçurent que les jardins, le village et même les collines au-delà étaient nus. Seules quelques branches d'arbres apparaissaient au-dessus du vieux mur, dans le jardin de Chrestomanci.

– Ça devait être un charme vraiment très puissant, dit Roger.

– On dirait un désert, ajouta Julia. Qu'est-ce que c'est triste un paysage sans arbres !

Mais, vers le milieu de l'après-midi, il devint évident que les arbres retournaient à leur place. On pouvait apercevoir un peu de ciel des fenêtres de la classe. Une heure plus tard, les arbres avaient tellement reculé que M. Saunders put éteindre la lampe. C'est alors qu'ils remarquèrent les ruines de la cabane en bois : il ne restait que quelques morceaux, pendant piteusement des branches d'un châtaignier.

– Que regardez-vous ? demanda M. Saunders.

– Notre cabane est complètement détruite, dit Roger d'un air maussade en regardant Gwendoline.

– Peut-être Gwendoline sera-t-elle assez gentille pour la réparer, suggéra M. Saunders d'un ton sarcastique.

Si son intention était de pousser Gwendoline à accomplir pour une fois une bonne action, ce fut un échec. Elle secoua la tête et laissa tomber froidement :

– Les cabanes en bois, c'est tellement puéril.

Elle était très affectée par la retraite des arbres.

– C'est vraiment dommage, dit-elle à Chat juste avant le dîner.

Les arbres avaient alors presque retrouvé leur place initiale. Seuls ceux qui venaient de la colline en face avaient encore du chemin à faire, et obscurcissaient la vue.

– J'espérais que ça durerait deux jours, grommela Gwendoline. Il va falloir que je trouve quelque chose pour demain.

– Qui les a remis ? Les jardiniers-magiciens ? demanda Chat.

– Ne dis pas n'importe quoi, coupa Gwendoline. C'est pourtant évident.

– Tu veux dire que c'est M. Saunders ?

Chat réfléchit un instant.

– Mais est-ce que le charme n'a pas pu être épuisé simplement en transportant les arbres ?

Gwendoline leva les yeux au ciel :

– Tu ferais mieux de te taire, tu ne connais strictement rien à la magie.

Chat savait pertinemment qu'il n'y connaissait rien. Mais cela ne l'empêchait pas de trouver tout cela bizarre. Le lendemain, il put constater, au cours d'une petite exploration, qu'il n'y avait plus de raisin écrasé sur le sol, plus de ramilles, et pas une seule branche arrachée. Les fameux ifs du jardin géométrique étaient de nouveau impeccables, et semblaient n'avoir jamais été mutilés. Il n'y avait plus aucune trace de pommes aux abords de la cuisine. Dans la cour étaient rangées des caisses pleines de jolies pommes bien fermes, bien rondes, tout aussi appétissantes que celles qui étaient encore dans les arbres du verger.

Tandis qu'il était plongé dans ses observations, Chat fut soudain obligé de se plaquer contre un pommier pour laisser le passage à une vache que poursuivaient deux jardiniers et un garçon de ferme. D'autres vaches galopaient comme des folles dans le bois. Chat s'y rendait avec l'espoir de retrouver la cabane intacte. Malheureusement, ce n'était qu'une ruine. De leur côté, les vaches conjuguaient leurs efforts pour ravager les plates-bandes, sans y parvenir vraiment.

– Les vaches, c'est toi ? demanda Chat plus tard à Gwendoline.

– Mmoui... Oh, c'était juste un petit truc pour leur montrer que je n'abandonnais pas, dit Gwendoline. Mais demain j'aurai mon sang de dragon et, alors, je pourrai faire quelque chose de vraiment impressionnant.

Chapitre huit

Le mercredi après-midi, Gwendoline descendit au village chercher sa fameuse commande. Elle rayonnait : une réception devait avoir lieu le soir au château. Chat savait que tout le monde s'était bien gardé d'en parler, de peur de donner de mauvaises idées à Gwendoline. Mais elle l'avait finalement appris le matin, car certaines dispositions avaient été prévues pour les enfants. On leur avait annoncé qu'ils dîneraient dans la salle de jeux et qu'ensuite ils devraient aller dans leurs chambres.

– J'irai dans ma chambre, avait promis Gwendoline. Mais cela ne changera strictement rien, avait-elle ajouté à mi-voix.

Sur le chemin du village, elle riait toute seule. Chat, lui, se sentait très mal à l'aise, car tout le monde les évitait. Les gens traversaient la rue, faisaient un détour pour ne pas avoir à croiser Gwendoline. En l'apercevant, les mères poussaient leurs enfants à l'intérieur de leur maison et claquaient la porte. Gwendoline le remarquait à peine. Tout ce qui comptait pour elle, c'était le sang de dragon qu'allait lui donner M. Baslam. Chat n'aimait pas M. Baslam. Ou peut-être était-ce l'odeur de décomposition qui prenait à la gorge lorsqu'on pénétrait au milieu de ses animaux empaillés qu'il avait du mal à supporter. Il laissa Gwendoline s'y rendre seule, tandis qu'il allait poster la carte pour Mme Sharp à la confiserie. Il y reçut un accueil plutôt frais, et les deux shillings qu'il dépensa en bonbons ne réussirent même pas à amadouer le confiseur. Dans la pâtisserie voisine, l'accueil fut franchement glacé. Lorsque Chat revint sur la place, il s'aperçut que l'on écartait également les enfants de son chemin et que les gens se détournaient de lui.

Il eut tellement honte qu'il rentra au château sans attendre Gwendoline. Là il erra, mélancolique, en grignotant sans conviction ses nougats et ses réglisses. Il ne désirait qu'une chose : retourner chez Mme Sharp. De temps en temps il apercevait Gwendoline. Tantôt elle traversait le gazon en courant, tantôt elle se tenait accroupie sous un arbre, l'air très absorbé. Chat ne s'approcha pas d'elle. S'ils étaient chez Mme Sharp, songeait-il, Gwendoline n'aurait pas besoin de faire toutes ces choses car il n'y aurait personne à impressionner. Il se surprit à souhaiter que Gwendoline ne fût pas une sorcière si puissante et si résolue. Il essaya d'imaginer qu'elle n'était pas sorcière, mais sans y parvenir. Gwendoline sans ses pouvoirs, ce ne serait plus Gwendoline.

A l'intérieur du château, le calme et le silence habituels avaient momentanément disparu. On sentait comme une tension, entretenue par une multitude de petits bruits. Chat était certain que la réception serait fastueuse.

Après le dîner, il s'installa à la fenêtre de la chambre de Gwendoline, le cou tendu pour voir les invités franchir la portion d'allée qu'il apercevait. Ils arrivaient tous dans de magnifiques attelages. L'un deux, tiré par six chevaux blancs, était tellement imposant que Chat se demanda s'il ne s'agissait pas du roi.

– Tant mieux, dit Gwendoline.

Elle était accroupie devant une grande feuille de papier sur laquelle étaient posés, d'un côté, un bol d'ingrédients et, de l'autre, un tas de créatures plus répugnantes les unes que les autres : deux grenouilles, un ver de terre, plusieurs perce-oreilles, un scarabée noir, une araignée, ainsi qu'un amoncellement de petits os. Elles étaient ensorcelées et ne pouvaient sortir de la feuille de papier.

Dès que Chat fut certain que le défilé des attelages était fini, Gwendoline commença à broyer et à mélanger les ingrédients qui se trouvaient dans le bol, tout en murmurant de mystérieuses incantations d'une voix bizarre, tantôt grave, tantôt plaintive. Ses boucles blondes s'agitaient au-dessus du bol. Chat regardait avec dégoût les petites créatures se tortiller sur le papier, et craignait que Gwendoline ne veuille les mélanger aux autres ingrédients. Mais, apparemment, telle n'était pas son intention. Elle se redressa, s'assit sur les talons et dit :

– Voilà !

Puis elle fit claquer ses doigts au-dessus du bol et les ingrédients prirent feu instantanément. Ils se mirent à brûler avec de petites flammes bleues.

– Ça marche ! s'exclama Gwendoline, à la fois fière et tout excitée.

Elle saisit une papillote de papier journal posée à côté d'elle et l'ouvrit avec précaution :

– Et maintenant une pincée de sang de dragon.

Elle prit une pincée de poudre brune entre deux doigts et en saupoudra les petites flammes. Il y eut un grésillement et une forte odeur de brûlé, puis les flammes se dressèrent de près d'un mètre au-dessus du bol, menaçantes, violemment teintées de pourpre et de vert. Elles illuminaient la chambre d'une étrange clarté et donnaient au visage de Gwendoline un aspect effrayant.

Gwendoline fit basculer son corps doucement vers la droite, puis vers la gauche, plusieurs fois, en une sorte de danse, tout en scandant des paroles incompréhensibles. Sans cesser ses psalmodies, elle se pencha en avant et toucha l'araignée de l'index. Celle-ci se mit soudain à grandir, à grandir jusqu'à devenir une masse ronde et huileuse de plus d'un mètre de large avec deux petits yeux noirs, suspendue comme un hamac entre huit pattes arquées, recouvertes de poils. Gwendoline pointa son index en direction de la porte qui s'ouvrit sur cette injonction – elle exultait – et l'énorme araignée se dirigea vers le couloir. Elle replia ses pattes velues afin de franchir la porte et s'éloigna silencieusement.

Gwendoline toucha une à une toutes les autres créatures. Les perce-oreilles devinrent de véritables monstres terrifiants. L'énorme scarabée avançait péniblement sur ses fines pattes et faillit rester coincé dans l'encadrement de la porte. Les grenouilles étaient devenues aussi grandes que des hommes et sautaient en faisant claquer leurs larges pattes palmées sur le sol, tandis que leurs pattes de devant pendaient, semblables à celles d'un gorille. Leur peau tachetée se soulevait par endroits ; elle était pleine de petits trous qui ne cessaient de s'ouvrir et de se fermer. La poche sous leur menton s'enflait et s'affaissait régulièrement. Chat vit tous ces monstres s'éloigner en une sinistre procession dans la lumière verte du couloir.

– Où vont-ils ? chuchota-t-il, apeuré.

Gwendoline gloussa :

– Je les envoie à la salle à manger, bien sûr. J'ai peur que ces chers invités n'en perdent un peu l'appétit.

Elle se saisit ensuite d'un os et frappa chacune de ses extrémités sur le sol, puis elle le lâcha et il se mit à flotter dans l'air au-dessus des flammes. Il y eut une série de tintements légers et d'autres os apparurent brusquement, qui prirent leur place autour du premier. Les flammes vertes et pourpres grandirent en mugissant et un crâne apparut enfin : le squelette était complet et dansait dans la lumière des flammes. Gwendoline sourit de satisfaction et, sans attendre, elle prit un deuxième os.

Mais les os, quand ils sont ensorcelés, retrouvent la mémoire : le squelette se mit à soupirer et à se lamenter.

– Pauvre Sarah, je suis la pauvre Sarah. Laissez-moi en paix, je vous prie.

Gwendoline l'envoya vers la porte d'un geste impatient. Un deuxième squelette soupira :

– Bob, le fils du jardinier, je ne voulais pas faire ça.

Puis trois autres apparurent qui se lamentaient et chantaient d'une voix douce et plaintive le nom de celle ou de celui à qui ils avaient appartenu. Tous les cinq s'éloignèrent dans le couloir. « Sarah… » entendait Chat. « Je ne voulais pas… » « J'ai été duc de Buckingham… »

Gwendoline ne prêtait pas la moindre attention à ces plaintes. Elle toucha du doigt le ver de terre. Il se mit à grandir également, jusqu'à devenir une énorme masse d'un rose sale, de la taille d'un serpent de mer. Chat sentait son cœur se soulever à la vue des anneaux qui roulaient, glissaient, se contorsionnaient, remplissant toute la pièce. Quelques poils étaient piqués çà et là sur la chair nue et blanchâtre. L'une de ses extrémités se tournait, aveugle, d'un côté, de l'autre, jusqu'à ce que Gwendoline pointât son index vers la porte. Le monstre se mit alors à ramper, déroulant ses anneaux les uns après les autres.

Gwendoline le suivit un instant du regard.

– Pas mal, dit-elle en hochant la tête. Et maintenant, la touche finale !

Avec précaution, elle laissa tomber une autre petite pincée de sang de dragon dans les flammes. Elles se dressèrent en sifflant, plus jaunes, plus lumineuses. Gwendoline reprit ses incantations, en agitant les bras cette fois. Au bout d'un moment, une forme apparut dans l'air, tremblant au-dessus des flammes. Petit à petit, sa silhouette se dessinait. Les nuages blancs qui s'échappaient du feu se compressaient, s'unissaient, pour modeler cette créature étrange, difforme, avec une grosse tête

qui pendait dans le vide, lamentablement. A ses côtés, trois autres créatures prenaient corps à leur tour. Lorsque la première sauta des flammes sur le tapis, Gwendoline laissa échapper un cri de victoire. Chat était ébahi par la méchanceté qui brillait dans ses yeux.

– Oh, non ! cria-t-il.

Une à une les autres apparitions sortirent des flammes. La première ressemblait à un bébé trop jeune pour marcher – pourtant, il marchait – avec sa grosse tête qui oscillait d'un côté, de l'autre. La suivante était un estropié, si tordu, si ramassé sur lui-même qu'il pouvait à peine boitiller. Chat reconnut en la troisième l'apparition de l'autre soir, squelettique, désarticulée et grimaçante. La dernière créature avait la peau striée de cicatrices bleues. Toutes les quatre étaient misérables, livides et répugnantes. Chat tremblait de tous ses membres.

– Je t'en prie, fais-les disparaître, gémit-il.

Gwendoline se remit simplement à rire et envoya d'un geste les quatre apparitions vers la porte. Elles se mirent en marche, lentement, péniblement. Mais elles n'étaient qu'à mi-chemin lorsque Chrestomanci entra, suivi de M. Saunders. Devant eux s'effondrait une avalanche d'ossements et de petites créatures inanimées, qui venaient s'écraser sur le tapis et sur les longues chaussures luisantes de Chrestomanci. Les apparitions s'étaient immobilisées, hésitantes. Soudain elles s'envolèrent, comme aspirées par le bol de flammes, et s'évanouirent. Les flammes s'éteignirent au même instant. Seules quelques traînées de fumée noire et odorante subsistaient au-dessus du bol.

Gwendoline leva les yeux vers Chrestomanci et M. Saunders à travers la fumée. Chrestomanci était magnifique, vêtu de velours bleu sombre, avec de la dentelle aux poignets et sur le plastron de sa chemise. M. Saunders avait essayé de trouver un costume à sa taille, mais n'avait pas tout à fait réussi. Enfin presque pas. L'une de ses grandes chaussures noires vernies était délacée, et l'on apercevait les poignets et un pan de sa chemise, tandis qu'il enroulait tout doucement un écheveau invisible autour de sa main droite. Chrestomanci et lui regardaient Gwendoline d'un air inquiétant.

– Tu étais avertie, n'est-ce pas ? dit Chrestomanci. Vas-y, Michael.

M. Saunders mit l'écheveau invisible dans sa poche.

– Merci, dit-il. Ça me démangeait depuis une semaine.

Il s'approcha vivement de Gwendoline en faisant claquer les pans de son costume. Il la remit brutalement sur ses pieds, la tira vers une chaise et la fit basculer sur ses genoux. Puis il enleva sa chaussure délacée et administra à Gwendoline une terrible correction.

Pendant que M. Saunders officiait et que Gwendoline hurlait en se débattant comme une furie, Chrestomanci se tourna vers Chat et lui donna deux retentissantes paires de gifles. Chat en serait tombé à la renverse, tant il était surpris, si Chrestomanci n'avait pas tapé alternativement la joue gauche et la joue droite, ce qui le maintint en équilibre.

– Pourquoi ? dit Chat avec indignation, tenant à deux mains sa tête en feu. Je n'ai rien fait !

– Justement, c'est parce que tu n'as rien fait, dit gravement Chrestomanci. Tu n'as pas essayé de l'en empêcher, que je sache !

Laissant Chat soupirer sur son triste sort entre deux hoquets, Chrestomanci se tourna vers le vigoureux M. Saunders :

– Je crois que ça ira comme ça, Michael.

M. Saunders cessa de frapper, à regret semblait-il. Gwendoline glissa sur le sol ; elle sanglotait, gémissait de douleur et se plaignait du traitement humiliant qu'on lui faisait subir.

Chrestomanci s'approcha d'elle et la poussa légèrement du pied.

– Arrête. Mets-toi debout et reprends-toi.

Lorsque Gwendoline se redressa, l'air à la fois misérable et furieux, il ajouta :

– Tu avais parfaitement mérité cette correction. Et comme tu viens peut-être de t'en rendre compte, Michael t'a également retiré tes pouvoirs. Tu n'es plus une sorcière. A l'avenir, tu ne seras plus capable de réaliser le moindre enchantement. Et ceci durera jusqu'à ce que tu aies pu nous prouver ta bonne volonté. Est-ce clair ? Maintenant va au lit. Et, pour l'amour du ciel, essaie de réfléchir un peu à ce que tu viens de faire.

Il fit un signe à M. Saunders, et ils sortirent tous les deux, M. Saunders à cloche-pied parce qu'il n'avait pas fini de remettre sa chaussure.

Gwendoline se laissa tomber à plat ventre, le visage enfoui dans ses mains tandis que ses pieds battaient furieusement le tapis.

– Ah, les brutes ! Les brutes ! Comment osent-ils me traiter comme ça ! Je vais faire quelque chose de pire encore cette fois. Ça leur apprendra !

– Mais tu ne peux rien faire sans tes pouvoirs, objecta Chat d'une petite voix. M. Saunders ne t'a pas enlevé ta magie ?

– Va-t'en ! hurla Gwendoline. Laisse-moi tranquille ! Tu ne vaux pas mieux que les autres !

Et comme Chat se dirigeait vers la porte, la laissant à sa crise de nerfs, elle leva la tête vers lui et cria :

– Je ne m'avoue pas encore vaincue, tu vas voir !

Bien sûr, Chat ne cessa de faire des cauchemars cette nuit-là. Des cauchemars terribles, envahis de vers de terre géants et de grenouilles visqueuses. Leur horreur s'intensifiait ; ils devenaient de plus en plus effrayants. Chat transpirait, gémissait, se tordait en tous sens. Il se réveilla finalement, le front trempé de sueur, affaibli, le corps douloureux comme s'il avait la fièvre. Il resta un moment allongé, les yeux grands ouverts, la gorge nouée. Puis ses pensées furent brouillées petit à petit par la fatigue, et il se rendormit.

Quand il se réveilla de nouveau, il faisait jour. Il ouvrit les yeux dans le silence neigeux du château et il eut soudain la certitude que Gwendoline avait fait autre chose. Il en était convaincu, sans savoir pourquoi. Il se dit que ce devait être un effet de son imagination. Si M. Saunders avait ôté ses pouvoirs à Gwendoline, elle ne pouvait en être capable. Pourtant, Chat savait qu'il ne se trompait pas.

Il se leva et s'approcha à pas feutrés d'une fenêtre mais, pour une fois, la vue était parfaitement normale. Les cèdres, les jardins, la pelouse n'avaient jamais été aussi beaux dans cette lumière matinale. Cependant, Chat était tellement persuadé qu'il y avait quelque part quelque chose de différent qu'il s'habilla à la hâte et descendit pour demander à Gwendoline ce qu'elle avait fait.

Lorsqu'il ouvrit la porte de la chambre, il sentit le parfum lourd et sucré qui se dégage toujours des pratiques magiques. Mais ce pouvait très bien être un reste des sortilèges de la veille. La chambre était parfaitement en ordre. Il n'y avait plus aucune trace d'ingrédients ni d'animaux morts. La seule anomalie était la boîte de Gwendoline, sa boîte à secrets, sortie de l'armoire et posée près du lit, le couvercle entrouvert.

Gwendoline dormait, pelotonnée sous le couvre-lit de velours bleu. Chat referma tout doucement la porte mais, malgré ses précautions, Gwendoline se réveilla. Elle se dressa d'un bond et le regarda.

A cet instant, Chat comprit que ce qu'il y avait d'anormal, c'était Gwendoline elle-même. Elle portait sa chemise de nuit devant derrière, et les rubans qui étaient d'habitude noués dans le dos pendaient sur ses épaules. C'était tout ce que Chat pouvait constater de façon concrète. Cependant, la façon dont Gwendoline le regardait était également étrange. Elle semblait surprise, effrayée même.

– Qui es-tu ? demanda-t-elle.

– Je suis Chat, bien sûr, répondit Chat, abasourdi.

– Mais non, tu es un garçon, dit Gwendoline. Qui es-tu ?

Chat crut alors que la perte des pouvoirs chez une sorcière entraînait une amnésie totale. Il se dit qu'il lui faudrait désormais s'armer de patience.

– Je suis ton frère, Eric, dit-il gentiment en s'approchant du lit pour qu'elle puisse le voir. Mais toi, tu m'appelles toujours Chat.

– Mon frère ! s'exclama Gwendoline, l'air complètement ahuri. Ah bon. Après tout, tant mieux. J'ai toujours eu envie d'avoir un frère. Et je sais que je ne rêve pas. J'avais tellement froid dans la baignoire. Et puis ça me fait mal quand je me pince. Est-ce que tu voudrais bien me dire où je suis ? J'ai l'impression de me réveiller dans un musée.

Chat l'examina plus attentivement. Il commençait à la soupçonner d'avoir une excellente mémoire. Pas à cause de ce qu'elle disait, ni de la façon dont elle le disait, mais tout simplement parce qu'elle était plus mince, et que ses cheveux dorés épars sur ses épaules étaient un peu plus longs que la veille. Et puis elle avait bien le joli visage de Gwendoline, les yeux bleus de Gwendoline, mais elle n'avait pas le regard de Gwendoline.

– Tu n'es pas Gwendoline, dit Chat.

– Heureusement que non ! Quel prénom affreux ! Je m'appelle Janet Arcand.

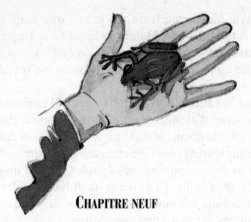

CHAPITRE NEUF

Chat se sentait aussi déconcerté que cette étrange fille semblait l'être. « Arcand ? songeait-il. Est-ce que Gwendoline aurait une sœur jumelle dont elle ne m'aurait pas parlé ? »

– Mais moi aussi, je m'appelle Arcand, dit-il.

– Ah bon ? dit Janet.

Elle s'assit en tailleur et se gratta la tête d'un air pensif, un geste que Gwendoline ne faisait jamais.

– Vraiment, Arcand ? Ce n'est pourtant pas un nom banal. Et tu as cru que j'étais ta sœur ? Eh bien, depuis que je me suis réveillée dans la baignoire tout à l'heure, j'ai dû tenter une bonne centaine de fois de faire le point sur la situation, mais elle me semble toujours aussi obscure. Où sommes-nous ?

– Dans le château de Chrestomanci, dit Chat. Il nous a fait venir ici environ un an après la mort de nos parents.

– Tiens, par exemple ! coupa Janet. Mes parents, eux, sont en vie. En pleine forme même – enfin ils l'étaient

132

quand je leur ai dit bonne nuit hier soir. Qui est Chrestomanci ? Est-ce que tu pourrais me résumer un peu votre vie ?

Désemparé et mal à l'aise, Chat entreprit d'expliquer comment et pourquoi Gwendoline et lui étaient arrivés au château, et ce que Gwendoline avait fait.

– Tu veux dire que Gwendoline était vraiment une sorcière ? s'exclama Janet.

Ce « était » fit mal à Chat. Il avait l'intuition grandissante qu'il ne reverrait plus jamais la véritable Gwendoline.

– Bien sûr que c'est une sorcière, dit-il. Pas toi ?

– Oh ! mon Dieu non ! fit Janet. Mais je commence à croire que j'aurais pu en être une, si j'avais vécu toute ma vie ici. Ça a l'air courant, chez vous, non ?

– Pas seulement les sorcières, il y a aussi des sorciers, des nécromanciens, des extra lucides, dit Chat. En revanche, les mages et les magiciens sont plus rares. Je crois que M. Saunders est un magicien.

– Et les jeteurs de sorts, les hypnotiseurs, les médiums, poursuivit Janet, les cartomanciennes, les diseuses de bonne aventure, les guérisseurs, vous en avez aussi ?

– Oh, la plupart de ceux-là, ce sont des primitifs, expliqua Chat. Ils ont un niveau de magie très peu élevé. Nous avons aussi des enchanteurs. Ce sont des gens très puissants et très importants, mais je n'en ai jamais rencontré.

– Je vois, dit Janet.

Elle resta un instant pensive, puis sauta brusquement du lit, d'une façon peu féminine et, en tout cas, très différente de celle de Gwendoline.

– On devrait commencer par jeter un coup d'œil, dit-elle, au cas où ta chère Gwendoline aurait eu la bonté de laisser un message.

– Ne parle pas d'elle comme ça, supplia Chat. Où est-elle, à ton avis ?

Janet le regarda et vit qu'il était vraiment malheureux.

– Désolée, dit-elle, je ne recommencerai plus. Mais tu peux comprendre que je lui en veuille un peu, non ? J'ai l'impression qu'elle m'a catapultée ici pendant qu'elle-même partait prendre l'air. Espérons qu'elle a une bonne explication à nous fournir.

– Ils lui ont donné une fessée avec une chaussure et ils lui ont enlevé ses pouvoirs, dit Chat.

– Oui, tu me l'as déjà dit, répliqua Janet en ouvrant tous les tiroirs de la coiffeuse. Sans l'avoir vu, j'ai déjà une peur bleue de Chrestomanci. Mais est-ce qu'ils lui ont vraiment enlevé ses pouvoirs ? Dans ce cas, comment a-t-elle pu faire ça ?

– Moi non plus, je ne comprends pas, dit Chat qui s'était joint aux recherches.

A cet instant, il aurait tout donné pour un mot de Gwendoline. N'importe quel mot. Il se sentait horriblement seul.

– Qu'est-ce que tu faisais dans la baignoire ? demanda-t-il pour savoir s'il fallait également fouiller la salle de bains.

– Aucune idée. Je me suis seulement réveillée dedans, dit Janet en inspectant le dernier tiroir. C'était un peu comme si on m'avait tirée à travers une haie… Et je me suis retrouvée dans cette baignoire. En plus, je n'avais pas de vêtements, alors j'étais gelée.

– Pourquoi tu n'avais pas de vêtements ? demanda Chat qui venait de vider toutes les étagères de l'armoire, sans succès.

– J'avais trop chaud cette nuit dans mon lit, dit Janet.

Je ne pouvais tout de même pas deviner ce qui allait se passer. Alors je me suis retrouvée toute nue ici. J'ai dû me pincer une bonne dizaine de fois ! Surtout quand j'ai découvert cette chambre. J'avais l'impression d'avoir été transformée en princesse. Comme il y avait une chemise de nuit posée sur le lit, je l'ai enfilée.

– Tu l'as mise devant derrière, dit Chat, mélancolique.

Janet cessa un instant de vider les poches d'un vieux manteau et regarda les rubans qui pendaient.

– Ah bon ? Et je crois que ce ne sera pas la seule chose que je mettrai à l'envers. Bon, voyons un peu cette superbe penderie... Ensuite, je suis allée voir ce qu'il y avait dehors, mais comme je n'ai trouvé que des kilomètres de couloir vert, je suis revenue ici et je me suis couchée en espérant qu'à mon réveil tout aurait disparu. Ça a raté. Tu as trouvé quelque chose ?

– Non, dit Chat. Mais il y a sa boîte, là.

– Ah, c'est peut-être à l'intérieur, approuva Janet.

Ils se précipitèrent sur la boîte et commencèrent à en fouiller le contenu. Il n'y avait pas grand-chose dedans. Chat se doutait bien que Gwendoline, quelle que fût sa destination, avait dû emporter bon nombre de ses affaires avec elle. Ils trouvèrent deux livres, *Formules magiques élémentaires* et *La Magie des débutants* ainsi qu'un vieux cahier de cours. Janet examina l'écriture large et ronde de Gwendoline.

– Elle a la même écriture que moi. Tiens, pourquoi a-t-elle laissé ces livres ? Ce doit être parce qu'elle a dépassé ce niveau.

Elle saisit l'un des livres et se mit à le feuilleter. Quelque chose glissa alors d'entre les pages et tomba sur le tapis : la petite pochette d'allumettes rouge. Intriguée, Janet posa le livre, prit la pochette dans sa

135

main et l'ouvrit. Elle constata avec étonnement que la moitié des allumettes avaient brûlé, mais sans avoir été arrachées.

– Hum, à mon avis il y a de la magie là-dessous, dit Janet. C'est quoi ces paquets de lettres ?

– Les lettres d'amour de mes parents, je crois, répondit Chat.

Les lettres étaient toujours dans leurs enveloppes. Janet s'assit pour les examiner plus confortablement. Les timbres l'intriguaient.

– Mais ils représentent quoi ? Ah, oui ! C'est la tête d'un homme. Comment il s'appelle, votre roi ?

– Charles VII, répondit Chat.

– Pas George ? demanda Janet.

Lorsqu'elle vit l'air perplexe de Chat, elle renonça à discuter et revint aux lettres.

– Tiens ! Ton père et ta mère s'appelaient Arcand tous les deux. Ils étaient cousins germains ? Mes parents le sont. Grand-mère ne voulait pas qu'ils se marient parce qu'il paraît que ce n'est pas bon.

– Je ne sais pas. Peut-être qu'ils l'étaient. Ils se ressemblaient pas mal, murmura Chat, se sentant plus seul que jamais.

Janet aussi se sentait seule. Elle glissa avec soin la pochette d'allumettes sous le ruban qui liait les lettres adressées à Mlle Caroline Arcand – apparemment Janet était aussi maniaque que Gwendoline – et dit :

– Tous les deux grands et beaux avec les yeux bleus. Ma mère s'appelle Caroline aussi. Je crois que je commence à comprendre. Allez, Gwendoline, donne !

Et, en disant cela, Janet mit les lettres de côté et vida énergiquement le reste de la boîte sur le tapis – tout compte fait elle n'était peut-être pas si maniaque – divers

136

papiers, quelques stylos rongés, une montre, une paire de ciseaux et autres objets insignifiants. Mais tout au fond de la boîte était appliquée une feuille rose que Gwendoline avait couverte de sa plus ronde, de sa plus belle écriture.

– Ah ! fit Janet, j'en étais sûre. Elle est secrète, exactement comme moi.

Et elle étala soigneusement la lettre, de façon que Chat puisse la lire également.

Chère remplaçante,

Il faut que je quitte cet horrible endroit. Personne ne me comprend, ici. Personne ne fait attention à mes dons. Tu vas bientôt comprendre parce que, comme tu es mon double parfait, tu seras sorcière toi aussi. J'ai été très maligne. Ils ne connaissent pas toutes mes ressources! J'ai trouvé comment aller dans un autre monde et j'y vais pour de bon. Je sais que je serai reine là-bas parce que c'est écrit dans l'avenir qu'on m'a prédit. Il y a des centaines d'autres mondes, simplement certains sont plus agréables que d'autres; ils sont formés quand il y a un grand événement dans l'histoire, comme une bataille ou un tremblement de terre, dont le résultat peut donner deux choses (ou même plus) complètement différentes. Ces deux choses arrivent, mais elles ne peuvent pas exister en même temps. Alors le monde se sépare en deux mondes qui, après ça, commencent à être distincts l'un de l'autre. Je sais qu'il doit y avoir des Gwendoline dans plein de mondes, mais je ne sais pas dans combien exactement. L'une d'elles va venir ici quand je m'en irai parce que, quand je partirai, ça fera un vide qui va t'aspirer. De toute manière, ne t'inquiète pas si tes parents sont encore en vie. Une autre Gwendoline va prendre ta place et faire comme si c'était toi parce que

toutes les Gwendoline sont très intelligentes. Tu peux continuer à gâcher la vie de Chrestomanci, je t'en serai reconnaissante. Je sais que la situation est en de bonnes mains.

Affectueusement,

Gwendoline

PS: Brûle cette lettre.

*PS 2: Dis à Chat que je suis désolée mais qu'il devra
faire ce que M. Nostrum lui dira.*

Quand il eut fini de lire la lettre, Chat, le visage blême,
s'assit près de Janet, certain à présent qu'il ne reverrait
plus jamais Gwendoline. Il lui faudrait dorénavant
s'accommoder de Janet. Lorsqu'on connaît quelqu'un
aussi bien que Chat connaissait Gwendoline, on ne se
satisfait pas d'un double, même d'un double soi-disant
parfait.

Janet n'était pas sorcière. Les expressions sur son visage n'avaient rien de celles de Gwendoline. Gwendoline eût été furieuse de se retrouver malgré elle dans un autre monde. Janet, elle, dans cette situation, semblait inquiète, désemparée, triste, comme Chat l'était lui-même.

– Je me demande comment papa et maman s'entendent avec ma chère remplaçante, dit Janet avec un sourire forcé.

Puis elle se ressaisit.

– Ça t'ennuie si je ne la brûle pas ? C'est pour moi le seul moyen de prouver que je ne suis pas Gwendoline qui serait soudain devenue folle et croirait qu'elle s'appelle Janet Arcand. Je peux la cacher ?

– C'est ta lettre, dit simplement Chat.

– Oui, mais c'est ta sœur, dit Janet. Dieu bénisse sa chère petite âme en sucre d'orge ! Ne le prends pas mal, Chat. J'admire ta sœur. Elle voit les choses en grand. Elle est digne de ton admiration ! Dis donc, je me demande si elle aurait pensé à l'excellente cachette que j'ai trouvée pour la lettre. J'aimerais mieux pas.

Janet se leva d'un bond, elle s'approcha du miroir à guirlandes de la coiffeuse et le fit pivoter. Chat l'observait, sceptique. Le dos du miroir était en contre plaqué. Elle glissa ses ongles sous le bord et tira. Il se décolla facilement.

– Je fais toujours ça avec mon miroir à la maison, expliqua Janet. C'est une très bonne cachette. C'est à peu près la seule à laquelle mes parents ne pensent jamais. Maman et papa sont très gentils mais horriblement curieux. Peut-être parce que je suis fille unique. Et j'aime bien avoir mes secrets. J'écris des histoires, rien que pour moi, et eux, ils veulent à tout prix les lire. Oh, nom d'un chien ! Regarde !

139

Elle montra à Chat des signes tracés au dos même de la glace.

– Cabala, je crois, lut Chat. C'est une formule magique.

– Alors elle y a vraiment pensé ! dit Janet. Mais c'est infernal d'avoir un double ! On a exactement les mêmes idées. Et à partir de là... ajouta-t-elle en glissant la lettre entre la glace et le contre plaqué, je peux facilement deviner à quoi sert cette formule : je parie qu'elle sert à jeter un coup d'œil de temps en temps dans notre monde à travers ce miroir ; comme ça Gwendoline peut voir comment se débrouille sa chère remplaçante.

Janet repoussa le contre plaqué au dos du miroir et fit pivoter le tout.

– J'aimerais bien qu'elle soit justement en train de regarder... Tiens !

Elle se planta devant la glace et se mit à loucher. Simultanément, elle étira les coins de ses paupières vers l'extérieur, à la chinoise, tira la langue le plus loin possible. Ensuite, elle appuya sur son nez avec un doigt et tordit sa bouche pour la faire passer complètement sur une joue. Chat ne put s'empêcher de rire.

– Gwendoline ne sait pas faire ça ? demanda Janet du coin de sa grimace.

– Non, répondit Chat.

A cet instant, Euphémie ouvrit la porte et Janet sursauta violemment. Elle était beaucoup plus nerveuse que Chat ne le pensait.

– Tu serais gentille d'arrêter tes grimaces, dit Euphémie, et de t'habiller, Gwendoline.

Elle entra dans la chambre pour s'assurer que Gwendoline lui obéirait. Mais, soudain, elle laissa échapper un son étrange, une sorte de coassement, et se transforma en une grosse masse brune.

140

Janet retint un cri. Les yeux exorbités, Chat et elle regardèrent cette masse brune qui avait été Euphémie devenir de plus en plus petite. Bientôt elle ne mesura plus que cinq ou six centimètres. A cet instant, elle cessa de rapetisser. Il lui poussa alors deux grandes pattes palmées, et elle fit quelques bonds vers Janet et Chat. Elle les fixait, réprobatrice, de ses petits yeux jaunâtres qui saillaient au sommet de son crâne.

– Oh, mon Dieu ! gémit Chat.

Il semblait que Gwendoline, voulant partir sur un coup d'éclat, avait finalement transformé Euphémie en grenouille.

Janet fondit en larmes. Chat en était très surpris. Elle lui avait paru si sûre d'elle. Tout en reniflant, elle s'age-

141

nouilla et prit doucement la petite Euphémie coassante dans sa main.

– Ma pauvre, ma pauvre petite, sanglotait-elle, je sais exactement ce que tu ressens. Chat, qu'est-ce qu'on va faire ?

– Je ne sais pas, dit calmement Chat.

Il se sentait soudain chargé de lourdes responsabilités. Il était clair que, sous ses apparences de garçon manqué, Janet ne pouvait se débrouiller seule. Quant à Euphémie… S'il n'y avait pas eu Chrestomanci, Chat se fût précipité chez M. Saunders pour lui demander son aide. Mais il avait l'intuition, la certitude même, que si Chrestomanci venait à apprendre les derniers exploits de Gwendoline, les événements les plus terribles se produiraient. Chat comprit alors à quel point Chrestomanci le terrifiait. Il le terrifiait depuis le début, simplement Chat n'en était pas vraiment conscient… Mais, à présent, cette peur lui nouait l'estomac. Il fallait absolument que l'apparition de Janet et la transformation d'Euphémie restent secrètes.

Chat courut désespérément à la salle de bains, trouva une serviette encore mouillée qu'il apporta à Janet.

– Tiens, mets-la là-dedans, elle a besoin d'humidité. Je demanderai à Roger et Julia d'annuler le sort. Je leur expliquerai que tu ne peux pas. Et, je t'en supplie, ne dis à personne que tu n'es pas Gwendoline.

Janet déposa délicatement Euphémie sur la serviette. La grenouille fit quelques bonds, puis se tourna de nouveau vers Janet, l'air accusateur.

– Ne me regarde pas comme ça, je n'y suis pour rien ! supplia Janet en reniflant bruyamment. Chat, il faut la cacher. Tu crois qu'elle serait bien dans l'armoire ?

– Elle n'a pas tellement le choix, fit remarquer Chat. Toi, habille-toi.

A ces mots, Janet fut prise de panique.

– Mais qu'est-ce qu'elle met, Gwendoline ?

Chat pensait que toutes les filles savaient forcément ce que les autres filles portaient.

– Ben, les trucs habituels : une combinaison, des jupons, des bas, une robe, des bottines, tu sais bien.

– Non, répondit Janet, moi je suis toujours en pantalon.

Chat se retrouvait avec un problème supplémentaire, et de taille. Il partit donc à la chasse aux vêtements. Gwendoline semblait avoir emporté ce qu'elle avait de plus beau, mais Chat trouva tout de même ses anciennes bottines, ses bas verts et les jarretières qui allaient avec, deux jupons rapiécés, sa robe en cachemire vert et – avec un peu d'embarras – une culotte.

– Voilà ! dit-il.

– Elle met vraiment deux jupons ? demanda Janet, ébahie.

– Ben oui, répondit Chat. Allez, mets-les.

Mais Janet se révéla incapable de s'habiller sans son aide.

S'il la laissait enfiler quelque chose seule, elle le mettait devant derrière. Il dut donc lui passer ses jupons, boutonner sa combinaison dans le dos, lui attacher ses jarretières, lacer ses bottines, lui faire remettre sa robe dans le bon sens et lui nouer sa ceinture. Quand il eut fini, tout semblait parfaitement en ordre. Mais Janet avait l'air d'être déguisée plutôt qu'habillée. Elle examina sévèrement son reflet dans le miroir.

– Merci, tu es un ange. J'ai un peu l'impression de faire le clown. Enfin, si c'est ça la mode chez vous, il faudra bien que je m'y fasse.

– Bon. Et maintenant, petit déjeuner, annonça Chat.

Il porta Euphémie, qui coassait furieusement, vers l'armoire, l'enveloppa dans la serviette et, d'un geste décidé, la posa sur une étagère.

– Tenez-vous tranquille, dit-il, je vous retransformerai dès que je le pourrai. Alors faites moins de bruit, s'il vous plaît.

Il ferma la porte et la coinça avec un petit bout de papier. De faibles coassements se faisaient toujours entendre. Euphémie ne semblait pas décidée à se tenir tranquille. Honnêtement, Chat ne pouvait l'en blâmer.

– Elle doit être horriblement malheureuse, là-dedans ! dit Janet. On ne peut vraiment pas la sortir ?

– Vraiment pas, coupa Chat.

Toute grenouille qu'elle était, Euphémie n'en ressemblait pas moins à Euphémie. Chat savait que Mary la reconnaîtrait au premier coup d'œil. Il saisit Janet fermement par le bras et l'entraîna vers la salle de jeux.

– Décidément, vous vous réveillez toujours à la dernière minute ! lança Julia. J'en ai vraiment assez de vous attendre poliment pour commencer.

– Mais Eric est debout depuis des heures, fit remarquer Mary.

– Alors je ne vois vraiment pas comment vous faites pour être en retard. Oh, mais qu'est-ce qu'Euphémie fabrique à la fin ?

– Mary est hors d'elle ce matin, souffla Roger en clignant de l'œil.

A cet instant, on vit deux Mary, une réelle et une vague image flottant auprès d'elle. L'illusion dura quelques secondes, puis s'évanouit. Janet crut que son cœur allait cesser de battre. C'était la deuxième démonstration de sorcellerie à laquelle elle assistait, et elle se demandait si elle parviendrait à s'y habituer.

– C'est sans doute la faute de Gwendoline, dit Julia

d'une voix pincée, en lançant à Janet un de ses regards significatifs.

Janet était complètement désemparée. Chat avait oublié de la prévenir du ressentiment vigoureux de Julia envers Gwendoline, depuis le terrible épisode des serpents. Or, un regard significatif venant d'une sorcière peut être très différent d'un regard significatif d'une autre personne. Janet dut reculer de quelques mètres. Chat s'interposa vaillamment.

– Ne fais pas ça, dit-il. Elle est désolée.

– Vraiment ? dit Julia.

Elle contourna Chat et planta de nouveau ses yeux dans ceux de Janet.

– Alors… tu es désolée ?

– Oh oui. Je suis vraiment désolée, répondit Janet avec ferveur, bien qu'elle ne sût pas au juste pourquoi elle devait l'être. J'ai complètement changé.

– Mmm… Je le croirai quand je le verrai, dit Julia.

Son regard cessa à l'instant de tourmenter Janet, car Mary apportait l'habituel plateau de pain, confiture et chocolat chaud.

Janet huma l'odeur du chocolat qui montait du pot, et fit aussitôt la même grimace que Gwendoline le premier jour.

– Oh, mon Dieu. Qu'est-ce que je peux détester le chocolat ! soupira-t-elle.

Mary leva les yeux au ciel.

– Madame et ses grands airs ! Dis donc, c'est la première fois que tu nous dis que tu n'aimes pas le chocolat.

– Je… euh, j'ai eu un revirement de goût, inventa Janet, c'est mes papilles gustatives qui… enfin j'ai tout qui a changé en même temps, si vous voulez. Vous n'avez pas de café, par hasard ?

– Où ça ? Sous le tapis ? Dans mes jupes ? dit Mary. Bon,

145

je vais demander à la cuisine. Je leur expliquerai que tes papilles gustatives sont en révolte.

Chat était très heureux d'entendre qu'après tout le chocolat n'était pas obligatoire.

– Est-ce que je pourrais avoir du café aussi ? demanda-t-il. En fait j'aimerais mieux du thé…

– Et vous attendez justement le jour où Euphémie me laisse tomber pour me demander tout ça ! s'exclama Mary au bord de l'exaspération.

– Oh, de toute façon elle ne fait jamais rien, s'entendit dire Chat à sa propre surprise.

Mary se dirigea à grands pas vers le tube acoustique et demanda un pot de café et un pot de thé.

– Pour Sa Grandeur et Sa Majesté, ajouta-t-elle. J'ai l'impression qu'il s'y met aussi. Vraiment, Nancy, qu'est-ce que je ne donnerais pas pour m'occuper d'enfants plus faciles et normaux !

– Mais nous sommes des enfants normaux ! protestèrent Chat et Janet à l'unisson.

– Nous aussi, et faciles en plus, dit doucement Julia.

– Vous ? Normaux ? s'écria Mary. Mais vous êtes tous les quatre des Arcand ! Les Arcand ont-ils jamais été des gens normaux, dites-moi un peu !

Janet interrogea Chat du regard, mais il était également déconcerté. Il se tourna vers Julia et Roger :

– Je croyais que vous vous appeliez Chrestomanci.

– C'est simplement le titre de papa, dit Julia.

– Vous êtes des cousins, ajouta Roger. Vous ne le saviez pas ? C'est pour ça que papa vous a fait venir ici. Enfin, je crois.

Chat entama une tartine sans entrain. Il songeait que cette parenté rendait la situation encore plus difficile. Si cela était toutefois possible.

CHAPITRE DIX

Chat attendit que M. Saunders vînt les appeler pour s'approcher de Roger et lui chuchoter furtivement :

– E coute... Gwendoline a changé Euphémie en grenouille et...

Roger se retint avec peine d'éclater de rire, ce qui produisit à la place une sorte de ronflement peu discret. Chat attendit qu'il fût un peu calmé et poursuivit gravement :

– Et elle ne peut pas annuler le sort. Tu pourrais, toi ?

Roger tenta de retrouver son sérieux.

– Je ne sais pas. Il faudrait qu'elle te dise quelle formule elle a employée. Annuler un sort sans connaître la formule prononcée, c'est de la magie avancée. Moi, je n'en suis qu'au niveau élémentaire.

Puis il s'assit à sa place et laissa libre cours à son hilarité.

M. Saunders fit remarquer que le cours ne faisait que commencer, et que ce n'était donc pas encore l'heure des plaisanteries. Naturellement, Janet s'était assise à la mauvaise table. Chat s'empressa de l'en déloger, tout en faisant de grands efforts pour garder son calme. Il se demandait comment il pourrait arriver à connaître la formule que Gwendoline avait utilisée.

Ce fut la matinée la plus éprouvante que Chat ait jamais connue. Il avait oublié de dire à Janet que la magie était la seule et unique matière pour laquelle Gwendoline fût capable de mémoire. Janet, comme il l'en soupçonnait, savait beaucoup de choses dans bien des domaines. Mais toutes ses connaissances, malheureusement, appartenaient au monde dans lequel elle avait vécu jusqu'à présent. La seule matière dans laquelle Janet fut relativement sûre était l'arithmétique. Mais, bien entendu, ce matin-là, M. Saunders choisit de l'interroger en histoire. Chat ne parvenait pas à se concentrer sur la rédaction qu'il devait écrire... de la main gauche. Il voyait le visage de Janet progressivement envahi par la panique.

– Mais qu'est-ce que tu veux dire, Henri V ? aboya M. Saunders. Richard II a régné encore bien longtemps après Azincourt ! Quelle a été sa plus grande réalisation sur le plan de la magie ?

– Euh... il a battu les Français, suggéra Janet.

M. Saunders ne répondit pas. Il fixait Janet d'un air sombre. Pensant qu'il attendait des détails, elle crut bon d'ajouter :

– Il a... il a changé les vêtements des Français en fer. Alors ça les a alourdis et comme, en plus, les Anglais avaient des épées enchantées, ben euh... voilà.

– Qui, selon toi, demanda M. Saunders, a gagné la bataille d'Azincourt ?

– Les Anglais, répondit Janet d'une petite voix.

Cela, bien sûr, était vrai dans son monde à elle. Mais le regard affolé qu'elle lança autour d'elle en donnant sa réponse prouvait bien qu'elle craignait d'avoir commis

une erreur. Et, malheureusement, ses soupçons se révélè-
rent justifiés.

M. Saunders se frappa le front à plusieurs
reprises :

– Non, non, non ! Les Français ! Mais tu ne sais donc
absolument rien !

Janet était au bord des larmes. Chat était terrifié. Elle
pouvait s'effondrer d'une seconde à l'autre et avouer à
M. Saunders qu'elle n'était pas Gwendoline. Elle n'avait
pas les mêmes raisons que Chat de garder le secret.

– Gwendoline ne sait jamais rien, fit-il remarquer à
haute voix en espérant que Janet saisirait l'allusion.

Heureusement, elle comprit. Chat la vit soupirer de
soulagement et se détendre un peu sur sa chaise.

– Je m'en suis déjà aperçu, dit M. Saunders plus calmement. Mais, quelque part dans cette tête de bois, il doit
bien y avoir une toute petite cellule de matière grise.
Alors, je garde patience.

Dans son soulagement, Janet devint presque enjouée.

– Vous voulez me décoller la tête pour jeter un coup
d'œil à l'intérieur ? proposa-t-elle gaiement.

– Ne me tente pas ! s'écria M. Saunders.

Et il se couvrit les yeux d'une main, faisant mine de
repousser Janet de l'autre. Son expression était si
comique qu'elle rit de bon cœur. Cela ne ressemblait
guère à Gwendoline. M. Saunders, surpris, baissa la main
qui masquait ses yeux et examina Janet d'un regard soupçonneux.

– Toi, qu'est-ce que tu as encore inventé ?

– Rien, dit Janet d'un air coupable.

– Hum… fit M. Saunders, d'une façon qui mit Janet et
Chat tout à fait mal à l'aise.

Enfin, Mary entra avec le traditionnel plateau de lait et

de biscuits. Mais l'expression solennelle et glacée de son visage était de mauvais augure. Sur le plateau, à côté de la tasse de café de M. Saunders était posée une petite chose brune… Chat eut l'impression que son estomac le quittait pour plonger dans les oubliettes du château, probablement rejoint par celui de Janet dont le visage avait subitement blêmi.

– Qu'est-ce que c'est que ça ? demanda M. Saunders.

– C'est la bonne action de Gwendoline pour aujourd'hui, répondit Mary d'un ton cynique. C'est Euphémie. Regardez sa tête.

M. Saunders se pencha sur le plateau pour mieux voir. Puis il se tourna vers Janet, si brusquement qu'elle faillit tomber de sa chaise.

– C'est donc ça qui te faisait rire ?

– Ce n'est pas moi, s'écria Janet.

– Euphémie était dans la chambre de Gwendoline, enfermée dans l'armoire. Si vous l'aviez entendue, la pauvre ! dit Mary.

– Je crois que ceci requiert la présence de Chrestomanci, dit gravement M. Saunders, en se dirigeant à grands pas vers la porte.

Mais, à cet instant, Chrestomanci lui-même fit irruption dans la pièce, l'air affairé mais souriant.

– Michael, dit-il, j'espère que je ne dérange…

Il s'arrêta net en voyant le visage de M. Saunders.

– Quelque chose ne va pas ?

– Voudriez-vous, monsieur, regarder cette grenouille un instant, je vous prie, dit Mary. Elle était dans l'armoire de Gwendoline.

Chrestomanci était, une fois de plus, vêtu avec un goût exquis, d'un costume gris délicatement rayé de lilas. Il retint de la main sa cravate de soie et se pencha pour examiner la grenouille. Euphémie leva la tête vers lui et émit quelques coassements désespérés.

L'atmosphère était horriblement tendue. Chat avait les jambes qui tremblaient, et il aurait tout donné pour être ailleurs.

– Mon Dieu ! dit Chrestomanci de sa voix chaude et grave. Mais c'est Eugénie.

– Euphémie, papa, rectifia Julia.

– Euphémie, bien sûr, dit Chrestomanci. Bon. Qui a fait ça ?

Chat se demandait comment sa voix pouvait être à la fois si chaude et si terrifiante.

– C'est Gwendoline, monsieur, dit Mary.

Mais Chrestomanci secoua la tête :

– Non. Il faut se garder de juger sans preuve. Ce ne peut pas être Gwendoline. Michael lui a enlevé ses pouvoirs la nuit dernière.

– Mais bien sûr ! Suis-je bête ! marmonna M. Saunders en rougissant.

– Alors… qui ? demanda Chrestomanci.

De nouveau, un silence de mort, percé de quelques coassements, emplit la pièce. Un silence insoutenable. Julia eut un petit sourire, ses doigts tapotaient le bord de la table et elle regardait Janet d'un air pensif. Après l'expérience du petit déjeuner, Janet ne pouvait sentir ce regard sur elle sans une certaine angoisse. Elle avala sa salive et inspira péniblement. Chat, qui la surveillait du coin de l'œil, crut qu'elle était sur le point de tout révéler. Il céda à la panique et dit la première chose qui lui vint à l'esprit pour faire taire Janet :

– C'est moi.

Chat eut bien du mal à supporter tous les regards qui se posèrent alors sur lui. Julia semblait dégoûtée, Roger

151

abasourdi, M. Saunders furieux. Mary regardait Chat comme s'il eût été une grenouille lui-même. Mais Chrestomanci resta poliment incrédule, ce qui était encore pire.

– Je te demande pardon, Eric ? C'est toi qui as fait ça ?

Chat leva vers lui des yeux étrangement embués sous l'effet de la peur et rassembla le peu de courage qui lui restait.

– C'est une erreur. Euh… j'étais en train d'essayer une formule… je… je ne pensais pas que ça marcherait. Et… juste à ce moment-là, Euphémie est entrée et elle s'est changée en grenouille, comme ça, expliqua-t-il.

– On t'avait pourtant dit de ne jamais pratiquer la sorcellerie sans la surveillance de M. Saunders, ce me semble, dit Chrestomanci.

– Je sais, répondit vivement Chat, mais j'étais sûr que ça ne marcherait pas. Et ça a marché. Voilà.

– Eh bien, tu vas immédiatement annuler le sort, dit Chrestomanci.

Chat avala sa salive :

– Je ne peux pas. Je ne sais pas comment faire, dit-il d'une voix blanche.

Chrestomanci le fixait de nouveau, d'un regard à la fois patient et aigu, si insoutenable qu'il aurait volontiers plongé sous le bureau, si toutefois il avait été capable de bouger.

– Bon, dit Chrestomanci. Michael, peut-être pourrais-tu…

M. Saunders prit Euphémie dans sa main noueuse et la posa sur son bureau. La grenouille coassait toujours furieusement.

– Juste une petite minute, dit M. Saunders pour la calmer.

Il leva ses deux mains en coupole au-dessus d'elle. Et… rien… rien ne se passa. L'air un peu surpris, M. Saunders se mit à murmurer des paroles indistinctes. De nouveau, rien. Euphémie leva sa tête de grenouille vers M. Saunders avec l'air de dire : « Alors… ça vient ! » Ce dernier n'était plus simplement surpris, il était franchement déconcerté.

– Voilà un charme tout à fait étrange et tenace, dit-il. Quelle formule as-tu employée, Eric ?

– Je n'arrive pas à m'en souvenir, dit Chat en baissant la tête.

– Eh bien, quoi que j'essaie, je n'obtiens pas de résultat, dit finalement M. Saunders. Il faut que ce soit toi qui le fasses. Viens par ici.

Chat lança un regard désespéré à Chrestomanci, mais celui-ci approuva d'un signe de tête le verdict de M. Saunders. Chat se leva. Ses jambes étaient en coton, et son estomac semblait avoir définitivement élu domicile dans les oubliettes du château. Il marcha péniblement vers le bureau. Quand Euphémie l'aperçut, elle fit part de son opinion en s'élançant d'un bond vigoureux hors de la table. M. Saunders l'attrapa au vol et la remit en place.

– Qu'est-ce que je dois faire ? demanda Chat d'une voix qui n'était pas très éloignée des coassements d'Euphémie.

M. Saunders saisit fermement le poignet gauche de Chat et lui appliqua la main sur le dos froid et humide de la grenouille.

– Et maintenant annule le sort, dit-il.

– Je… je… balbutia Chat.

Il se dit qu'il devait au moins faire semblant d'essayer.

– Arrêtez d'être une grenouille et redevenez Euphémie, s'il vous plaît, murmura-t-il, tout en se demandant ce qui allait lui arriver quand ils verraient que la grenouille ne bougeait pas.

Mais, à sa grande surprise, elle bougea. Son dos devint soudain chaud sous ses doigts et elle se mit à grandir. Chat jeta un coup d'œil à M. Saunders, tandis que la grenouille poursuivait sa transformation. Il était certain d'avoir surpris un léger sourire sur ses lèvres. L'instant d'après, Euphémie était assise, les jambes ballantes, sur le bord du bureau. Ses vêtements étaient un peu froissés et brunis, mais c'était apparemment tout ce qui lui restait de son existence de grenouille.

– Je n'aurais jamais cru que c'était toi ! dit-elle à Chat.

Puis elle enfouit son visage dans ses mains et fondit en larmes. Chrestomanci s'approcha d'elle et l'aida gentiment à descendre du bureau.

– Là, là, ma petite. C'est fini à présent. Ça a dû être une horrible expérience. Vous avez besoin d'aller vous reposer maintenant.

Et il emmena Euphémie hors de la pièce.

– Ben dis donc ! laissa échapper Janet.

Mary leur tendit froidement le lait et les biscuits. Chat n'en voulait pas : son estomac n'était pas remonté des oubliettes. Janet prit un verre de lait, mais refusa les biscuits.

– J'ai l'impression que la nourriture est très dangereuse pour la ligne ici, dit-elle étourdiment.

Julia prit cette réflexion pour une attaque personnelle et noua rapidement un coin de son mouchoir. Le verre de lait de Janet glissa aussitôt de ses doigts et se brisa sur le sol.

– Nettoie ça, dit M. Saunders. Ensuite sortez, Eric et toi. Vous en avez assez fait pour aujourd'hui. De toute façon, je n'en supporterai pas davantage. Julia et Roger, prenez vos livres de magie, s'il vous plaît.

Chat entraîna Janet dans les jardins, lieu qui lui semblait à peu près sûr. Ils errèrent un long moment sur la pelouse, sans parler. Ils avaient l'impression que les événements de la matinée les avaient vidés de leur énergie.

– Chat, dit enfin Janet, je sais que cela va beaucoup t'embêter, mais il va absolument falloir que je m'accroche à toi comme une vraie sangsue tout le temps, enfin sauf pendant la nuit, jusqu'à ce que je sache comment me comporter. Tu m'as tirée déjà deux fois d'un sacré pétrin ! J'ai cru que j'allais mourir quand elle a apporté cette grenouille. Dis donc, je ne savais pas que tu étais sorcière toi aussi – enfin sorcier, je veux dire, ou magicien.

– Je ne suis rien du tout, dit Chat. C'est M. Saunders qui l'a fait. Il a voulu me faire peur.

– Mais Julia, c'est une sorcière, non ? poursuivit la perspicace Janet. Qu'est-ce que j'ai fait pour qu'elle me déteste autant ? C'est encore grâce à Gwendoline ?

Chat lui raconta l'histoire des serpents.

– Dans ce cas, je ne lui en veux pas, dit Janet. Mais ce n'est pas juste. Elle, elle est en train de parfaire ses talents de sorcière, et moi je suis là, sans la moindre petite formule magique pour me défendre. Tu ne sais pas où je pourrais trouver un professeur de karaté par hasard ?

– Non, je ne sais pas, répondit prudemment Chat, en se demandant ce que pouvait être le karaté.

– Tant pis, soupira Janet. Au fait, qu'est-ce que Chrestomanci s'habille bien !

Chat se mit à rire.

– Et encore, tu n'as pas vu son défilé de robes de chambre !

– J'ai hâte ! Ce doit être quelque chose ! Mais pourquoi est-il si terrifiant ?

– Il l'est, un point c'est tout, dit Chat.

– C'est ça, convint Janet. Quand il a vu que la grenouille était Euphémie et qu'il s'est mis à parler tout doucement, l'air un peu étonné aussi, ça m'a donné la chair de poule. Je n'aurais pas pu lui dire que je n'étais pas Gwendoline, même si on m'avait torturée. C'est pour ça qu'il ne faut pas que je te lâche d'une semelle. Est-ce que ça t'ennuie beaucoup ?

– Pas du tout, répondit Chat, mentant bravement.

Janet n'aurait pas été un fardeau plus lourd pour lui si elle avait été assise sur ses épaules, les jambes enroulées autour de son cou. Et Chat songeait que, pour couronner le tout, sa fameuse confession de tout à l'heure avait été parfaitement inutile. Il emmena Janet vers les ruines de la cabane afin de se changer un peu les idées. Janet était ravie. Elle s'élança gaiement dans les branches du châtaignier pour voir la cabane de plus près. Chat ne se sentait pas d'humeur magnanime ou complaisante.

– Fais attention ! lui dit-il avec brusquerie, comme si Janet risquait d'endommager son œuvre.

Il entendit en retour le craquement caractéristique d'un vêtement qui se déchire.

– Nom d'un chien ! ronchonna Janet. Comment peut-on grimper aux arbres avec un déguisement pareil ?

– Tu sais coudre ? demanda Chat en grimpant à son tour.

– Je méprise cette activité, expliqua Janet, car c'est le symbole de l'esclavage féminin, mais je sais coudre. Et je crois que, cette fois, je n'ai pas tellement le choix. Les deux jupons ont craqué en même temps.

Elle testa du bout du pied le fragile plancher de la cabane avant de s'y hasarder. Deux lambeaux de couleur différente dépassaient généreusement de l'ourlet de sa robe.

– On voit bien le village d'ici. Tiens, il y a une carriole de boucher qui arrive dans l'allée du château.

Chat s'approcha de Janet, et ils regardèrent la carriole tirée par un cheval pommelé.

– Vous n'avez pas du tout de voiture à moteur ? demanda Janet. Là d'où je viens, tout le monde en a une.

– Les gens riches en ont, répondit Chat. Chrestomanci avait envoyé la sienne nous chercher à la gare de Bowbridge.

– Et vous vous éclairez à l'électricité, ajouta Janet. Mais pour tout le reste, vous êtes rudement vieux jeu, comparés au monde où je vivais. Peut-être parce que vous avez beaucoup de choses grâce à la magie. Est-ce que vous avez des usines, la télévision, des tourne-disques, des avions, des choses comme ça, quoi ?

– Je ne sais pas ce que c'est que des avions, dit Chat.

Il ne savait d'ailleurs pas davantage ce qu'était une télévision ni un tourne-disques, et cette conversation l'ennuyait profondément. Janet le sentit et se mit en quête d'un autre sujet. Elle vit alors des grappes de grosses châtaignes vertes suspendues au bout des branches tout autour d'eux. Le bord des feuilles était déjà roussi, suggérant que les châtaignes n'étaient pas loin d'être mûres.

Janet tendit le bras vers l'extrémité d'une branche et tenta d'attraper les châtaignes les plus proches. Mais les bogues vertes rebondissaient sur le bout de ses doigts, inaccessibles.

– Sacré nom d'un chien ! s'exclama Janet. Elles ont l'air presque mûres, pourtant !

– Elles ne sont pas mûres, dit Chat. Mais j'aimerais bien.

Il tira une planche de la cabane en ruine pour en fouetter les châtaignes. Il les manqua lui aussi, mais la petite secousse qui agita la branche suffit à en détacher plusieurs, qui tombèrent sur le sol avec un bruit sourd. Janet se pencha :

157

– Qui a dit qu'elles n'étaient pas mûres ?

On pouvait voir les châtaignes brunes et luisantes dans leurs bogues éclatées.

– Hourra ! s'exclama Chat, en descendant de l'arbre aussi prestement qu'un singe.

Janet le suivait de près, des brindilles plein les cheveux. Ils épluchèrent frénétiquement les châtaignes – de merveilleuses châtaignes douces et marbrées de jolis dessins.

– Une brochette ! cria Janet. Mon royaume pour une brochette ! Après, on pourrait les enfiler sur les lacets de mes bottines !

– En voilà une ! dit Chat.

Il brandissait le fameux outil qu'il venait de trouver sur le sol : il avait dû tomber de la cabane.

Ils se mirent à percer les châtaignes fiévreusement, puis ils enlevèrent les lacets des vieilles bottes de Gwendoline. Ils découvraient que les lois concernant les châtaignes étaient les mêmes dans leurs deux mondes. Ils se rendirent sur l'allée de gravier du jardin à la française pour y engager une bataille dans les règles de l'art. Au moment où Janet écrasait sans pitié la dernière châtaigne de son adversaire et s'écriait : « J'ai gagné ! J'ai gagné ! », Milly fit son apparition au coin de l'allée. Elle les regardait en riant.

– Vous savez, je ne pensais pas que les châtaignes étaient déjà mûres. Il faut dire que nous avons eu un été magnifique.

Janet la regarda, consternée. Elle se demandait avec inquiétude qui pouvait bien être cette dame rondelette vêtue d'une superbe robe de soie.

– Bonjour, Milly, dit Chat.

Mais cela ne renseignait pas beaucoup Janet. Milly sourit et ouvrit son sac.

– Voilà des choses dont tu as besoin, je crois, Gwendoline.

Et elle tendit à Janet deux épingles de sûreté et une paire de lacets.

– Vous voyez, je ne suis jamais démunie !

– M… merci, bégaya Janet, rougissante.

Elle prit soudain conscience de ses bottines qui bâillaient, des brindilles emmêlées dans ses cheveux et des deux lambeaux de jupons qui pendaient lamentablement derrière elle. Mais le fait de ne pas savoir qui était Milly la mettait encore plus mal à l'aise.

Chat avait compris à présent que Janet faisait partie de ces gens qui ne sont pas satisfaits tant qu'ils n'ont pas trouvé une explication à tout. Il se résigna donc à dire à Milly :

– Julia et Roger ont de la chance d'avoir une mère comme vous, Milly.

A ces mots, Milly eut un grand sourire, et Janet sembla illuminée. Chat avait un peu honte. Il n'avait pas menti, mais s'il avait prononcé cette phrase, c'était uniquement pour Janet.

Ayant brillamment déduit que Milly était la femme de Chrestomanci, Janet ne résista pas à l'envie d'en savoir plus.

– Milly, demanda-t-elle, est-ce que les parents de Chat étaient des cousins germains comme – enfin... ils l'étaient ou pas ? Quel lien de parenté avez-vous avec Chat ?

– Mais c'est une véritable mise à l'épreuve ! s'exclama Milly. Je ne peux pas t'éclairer, je le crains, Gwendoline. Vois-tu, vous faites partie de la famille de mon mari, et je ne la connais pas très bien. Il faudrait questionner Chrestomanci pour en savoir plus long.

Au même instant, Chrestomanci entrait dans le jardin. Milly alla à sa rencontre en souriant.

– Mon chéri, nous avions justement besoin de toi !

Janet avait la tête baissée, car elle essayait d'épingler discrètement ses jupons. Elle leva les yeux vers Chrestomanci puis les baissa de nouveau sur le sol, l'air absorbé, comme si les cailloux et le sable avaient soudain pris une importance capitale.

– C'est très simple, dit Chrestomanci lorsque Milly lui eut expliqué la question. Franck et Caroline Arcand étaient mes cousins, et ils étaient également cousins germains. Ma famille en fit toute une histoire d'ailleurs, quand ils décidèrent de se marier. Mes oncles leur coupèrent les vivres, ce qui est une réaction parfaitement archaïque. Voyez-vous, ce n'est pas une bonne chose de se marier entre cousins lorsqu'il y a de la sorcellerie dans la famille. Mais leur couper les vivres n'arrangeait en rien la situation, bien sûr.

Il sourit à Chat d'un air tout à fait amical :

– Cela répond-il à votre question ?

Chat commençait à comprendre ce que Gwendoline avait ressenti. Cette façon qu'avait Chrestomanci de paraître amical quand, justement, on aurait dû se trouver en disgrâce était tout à la fois déconcertante et agaçante. Chat ne put s'empêcher de demander :

– Est-ce qu'Euphémie va bien ?

Mais il le regretta aussitôt, car le sourire de Chrestomanci disparut brutalement.

– Oui, elle va mieux à présent. Tu fais preuve d'un intérêt des plus touchants, Eric. J'imagine que tu étais également désolé pour elle lorsque tu l'as enfermée dans l'armoire…

– Mon chéri, ne leur fais pas peur comme ça, dit Milly en passant son bras à celui de Chrestomanci. C'était un accident. Tout est terminé maintenant.

Et elle l'entraîna plus loin. Mais, juste avant de disparaître au coin de l'allée, Chrestomanci tourna la tête et fixa Janet et Chat. Son regard était cette fois vague et étonné. Et il était loin d'être rassurant.

– Nom d'un chien de nom d'un chien ! chuchota Janet. Bientôt je n'oserai plus faire un seul mouvement dans ce fichu château !

Elle finit d'attacher ses jupons et, quand elle estima que Chrestomanci et Milly étaient trop loin pour l'entendre, elle se laissa aller à quelques commentaires :

– Elle est adorable Milly, un amour ! Mais lui ! Chat, est-ce possible ? Tu crois que Chrestomanci est un magicien puissant ?

– Je ne pense pas, répondit Chat. Pourquoi ?

– Eh bien, en partie parce que c'est une impression qu'il me donne, comme ça et…

– Moi je n'ai pas d'impression, coupa Chat. Il me fait peur, c'est tout.

– Justement ! insista Janet. Ce n'est pas pareil pour toi qui as toujours vécu avec des sorcières. Tu n'y vois plus clair ! Et puis, ce n'est pas seulement une impression que j'ai. As-tu remarqué comme il arrive précisément au moment où l'on parle de lui ? Ça fait deux fois.

– C'était un hasard, dit Chat. On ne peut pas déduire de vérités du hasard, ajouta-t-il sentencieusement.

– Oh, il cache bien son jeu, je suis d'accord ! Il arrive comme s'il venait pour autre chose, mais…

– Tais-toi à la fin ! Tu deviens comme Gwendoline. Elle ne pouvait pas s'empêcher de penser à lui deux secondes ! dit Chat avec brusquerie.

Janet planta avec rage sa bottine droite à demi ouverte dans le gravier.

– Je ne suis pas Gwendoline ! Je ne suis même pas comme elle. Mets-toi ça dans ta petite tête !

Chat éclata de rire.

– Qu'est-ce qui te fait rire ? grogna Janet.

– Gwendoline aussi tape toujours du pied quand elle est en colère !

– Peuh ! fit Janet.

162

CHAPITRE ONZE

Quand Janet eut fini de lacer ses deux bottines, Chat se souvint que l'heure du déjeuner avait déjà sonné. Ils coururent tous deux vers la petite porte. Ils étaient presque arrivés lorsqu'ils entendirent une grosse voix venant du buisson de rhododendrons.

– Hé, minute, ma petite demoiselle !

Janet lança à Chat un regard affolé et, d'un commun accord, ils se ruèrent vers la porte. Cette voix ne leur disait rien qui vaille. Mais une tempête agita soudain le buisson, et un gros homme vêtu d'un imperméable sale en sortit. Avant que Janet et Chat aient pu comprendre ce qui se passait, l'homme s'était planté devant la porte, leur barrant le passage. Il les fixait méchamment de ses yeux rouges et leur soufflait au visage une haleine chargée de bière.

– Bonjour, monsieur Baslam, dit Chat afin de renseigner Janet.

– Alors, on ne m'a pas entendu ? Elle serait sourde, la petite demoiselle ? demanda l'homme.

163

Chat vit que Janet était très effrayée ; pourtant elle répondit aussi tranquillement que l'eût fait Gwendoline.

– Non, non. Mais j'ai cru que c'était le buisson qui parlait.

– Le buisson qui parlait ! s'exclama M. Baslam. Après tout le mal que je me suis donné pour lui rendre service, mademoiselle me prend pour un buisson ! En plus, je suis obligé d'acheter un litre de mauvaise bière à ce boucher, pour qu'il me transporte dans sa charrette, je me fais secouer dans tous les sens, et tout ça pour entendre quoi ?

– Bon, qu'est-ce que vous me voulez ? demanda Janet nerveusement.

– C'est au sujet de ceci, dit M. Baslam, en farfouillant dans les multiples poches de son pantalon crasseux.

– Il faut que nous rentrions déjeuner, coupa Chat.

– Chaque chose en son temps, mon bonhomme. Jetez donc un œil à ça !

M. Baslam brandit sous le nez de Janet une grosse main aux ongles noirs au bout de laquelle se balançaient deux anneaux scintillants.

A l'intention de Janet, Chat exprima tout haut sa surprise :

– Mais c'est les boucles d'oreilles de ma mère ! Comment les avez-vous eues ?

– Ta sœur me les avait données très aimablement, en paiement du sang de dragon que je lui ai procuré. Pas vrai, ma petite demoiselle ? Seulement voilà, ce genre de paiement ne me convient pas, mais pas du tout !

– Je ne vois pas pourquoi, dit crânement Janet. On dirait... enfin, ce sont de vrais diamants.

– Pour sûr, c'est des vrais diamants, coupa M. Baslam. Mais on s'est bien gardé de me dire qu'ils étaient ensorcelés, ces diamants, hein, ma petite demoiselle ? Ah oui, ils ont un sacré, un fichu envoûtement, qui les empêche de se perdre ! Un envoûtement bruyant... Dans mon lapin empaillé que je les avais mis, et qu'est-ce qui s'est passé, ma petite demoiselle ? Eh ben, toute la nuit j'ai entendu : « J'appartiens à Caroline Arcand ! J'appartiens à Caroline Arcand ! » J'ai dû les envelopper dans une couverture pour les amener à un confrère avec qui je travaille. Eh ben, il n'a même pas voulu les toucher ! Il ne voulait rien avoir à faire avec ce sacré nom d'Arcand, qu'il m'a dit ! Elles sont invendables, ces boucles. Alors, ma petite demoiselle, on reprend ses boucles et on me donne gentiment mes cinquante-cinq livres.

Janet avala péniblement sa salive. Chat aussi.

– Je suis vraiment désolée, dit Janet, je ne me doutais absolument pas que... Enfin, le problème c'est que je n'ai pas de revenus. Vous ne pourriez pas les faire désensorceler ?

– Tss, tss ! J'aurais de graves ennuis bien avant d'y avoir réussi, ma petite demoiselle. Il est bigrement fort, ce sortilège !

– Mais alors pourquoi sont-elles muettes en ce moment ? s'enquit Chat.

– Tu me prends pour un idiot ? demanda M. Baslam. Tu me voyais assis entre deux quartiers de viande avec des boucles d'oreilles qui crient à tue-tête ? Non, je ne suis pas fou, moi. Mon ami leur a jeté un petit sort pour me rendre service. « Mais attention ! Ça pourra pas tenir plus d'une heure, qu'il m'a dit. Pour annuler complètement le charme, il faudrait le pouvoir d'un enchanteur, et ça te coûterait le prix des boucles d'oreilles. En plus, il te poserait des questions embarrassantes. » Les enchanteurs sont des gens importants, ma petite demoiselle. Alors donc je me retrouve là, à attendre dans ces buissons, avec une frousse terrible que les boucles se remettent à parler avant que vous arriviez... et tout ça pour entendre dire que vous n'avez pas de revenus ! Allons, ma petite demoiselle, on reprend les boucles d'oreilles, et on me donne un petit acompte.

Janet lança un regard anxieux à Chat. Chat soupira et fouilla ses poches. Il y avait en tout et pour tout une demi-couronne. Il la tendit à M. Baslam qui s'en détourna, ses yeux de saint-bernard plus tristes que jamais.

– Je vous parle de cinquante-cinq livres, et... tout ce que vous avez à me proposer c'est une misérable petite pièce d'une demi-couronne ? Non mais, franchement, c'est une plaisanterie ou quoi ?

– C'est absolument tout ce que nous avons pour l'instant, expliqua Chat. Mais nous recevons chacun une couronne par semaine – il fit un rapide calcul : dix shillings par semaine, cinquante-deux semaines dans une année... Donc dans un peu moins de deux ans, vous serez remboursé.

Chat soupirait intérieurement à l'idée de se priver de son argent de poche pendant si longtemps, mais Gwendoline avait eu son sang de dragon, et il était normal que M. Baslam soit payé.

Cependant, ces paroles plongèrent M. Baslam dans le plus profond des désespoirs. Il jeta un regard mélancolique aux murs du château.

– Vous habitez un endroit pareil et vous voulez me faire croire que vous ne pouvez pas avoir plus de dix shillings par semaine ? Je vous en prie, soyez raisonnables ! Ce château est une véritable mine d'or. Il suffit d'y mettre un peu de bonne volonté.

166

– Mais on ne peut pas faire ça, protesta Chat.

– Eh bien il faudra quand même, mon petit bonhomme ! trancha M. Baslam. Je ne demande pas l'impossible. Tout ce que je veux, c'est la moitié tout de suite, et le reste un peu plus tard avec, mettons, dix pour cent d'intérêts. Et il faudra aussi, bien sûr, me dédommager pour le sort que j'ai dû faire jeter aux bijoux ce matin. C'est tout à fait dans vos possibilités.

– Vous savez très bien que non ! s'indigna Janet. Alors gardez les boucles d'oreilles, je suis sûre qu'elles iront très bien à votre lapin empaillé.

M. Baslam la foudroya du regard. Au même instant, un léger bruit chantant se fit entendre, qui venait des boucles d'oreilles dans sa main. Chat ne pouvait saisir exactement les mots, mais il comprit que, hélas, M. Baslam n'avait pas menti. M. Baslam laissa tomber les bijoux sur le gravier.

– Voilà, dit-il. Si la petite mademoiselle veut bien daigner les ramasser. Mais laissez-moi vous rappeler une chose : le commerce de sang de dragon est illicite, illégal, interdit. Au lieu d'être reconnaissants pour les risques que j'ai pris, vous essayez de me rouler. Alors je vais vous dire : je veux vingt livres pour mercredi prochain. Ça vous laisse du temps, non ? Et si je ne les ai pas, je vous garantis que Chrestomanci entendra parler du sang de dragon le soir même. Et alors là, mes petits, j'aimerais mieux ne pas être à votre place ! Ah ça non ! Vous avez bien compris ?

A en juger par leurs regards affolés et leurs visages livides, ils avaient bien compris.

– Et... si on vous rendait le sang de dragon, suggéra Chat timidement.

Bien sûr, Gwendoline avait emporté le sang de dragon

de M. Baslam, mais il restait toujours l'énorme bocal dans l'atelier de M. Saunders.

– Et qu'est-ce que j'en ferais moi, de ce sang de dragon, mon garçon ? Je ne suis pas un magicien, je ne suis qu'un modeste fournisseur. En plus, personne ne demande jamais de sang de dragon par ici. Non, c'est de l'argent qu'il me faut. Vingt livres pour mercredi prochain. Et n'oubliez pas ! C'est un conseil que je vous donne, ajouta-t-il en secouant la tête, ce qui fit trembler ses bajoues.

Puis il leur tourna le dos et s'engouffra péniblement au milieu des rhododendrons, dans un grand craquement de branches.

– Oh ! le sale bonhomme ! murmura Janet en frémissant. Si seulement j'étais Gwendoline, j'aurais pu le transformer en ver de terre ou en limace !

Elle se baissa pour ramasser les boucles d'oreilles.

Immédiatement, l'air autour d'eux fut empli de petites voix aiguës et chantantes qui disaient : « J'appartiens à Caroline Arcand ! J'appartiens à Caroline Arcand ! »

– Oh mon Dieu ! s'exclama Janet. Elles savent !

– Donne-les-moi vite, avant que quelqu'un les entende ! dit Chat.

Dès que les boucles d'oreilles furent dans la main de Chat, les voix se turent.

– Décidément, je n'arrive pas à m'habituer à toute cette sorcellerie, soupira Janet. Et qu'est-ce que je vais faire ? Où vais-je trouver tout cet argent ?

– Il faut qu'on essaie de vendre quelque chose, dit Chat. Il y a un brocanteur dans le village. Allez, viens, on va encore être en retard.

Quand ils arrivèrent dans la salle de jeux, Mary leur avait déjà servi du ragoût et des pommes de terre.

– Oh chouette ! dit Janet qui ressentait le besoin de se détendre un peu. Encore un bon repas bien nourrissant !

Mary passa devant eux sans les voir et quitta la pièce. Julia regardait Janet d'un air mauvais. Quand Janet s'assit à sa place, Julia tira de sa manche son mouchoir déjà noué et le posa sur ses genoux. Janet planta sa fourchette dans une pomme de terre... et ne put l'en retirer. Entre-temps la pomme de terre était devenue un caillou blanc qui nageait en compagnie de deux ou trois autres dans une petite mare de boue.

Janet posa avec soin sa fourchette avec le caillou embroché dessus et se mit à promener, d'un air fausse-ment désinvolte, son couteau dans son assiette. Elle essayait de toutes ses forces de se contrôler mais, à cet instant, elle ressemblait à Gwendoline dans ses plus belles crises de fureur.

– J'avais faim, fit-elle remarquer.

Julia sourit, compatissante :

– Oh, comme c'est dommage ! Et tu n'as même plus tes pouvoirs pour te défendre...

Elle fit un autre nœud, plus petit, au coin de son mouchoir.

– Tu en as des choses bizarres dans tes cheveux, Gwendoline ! dit-elle en serrant le nœud.

Les brindilles commencèrent à se contorsionner dans les cheveux de Janet, puis tombèrent une à une sur la table et sur sa robe. Elles s'étaient transformées en grosses chenilles velues.

Mais Janet n'était pas plus dérangée par ce genre de bestioles que ne l'aurait été Gwendoline. Elle ramassa les chenilles et en fit un petit tas, près de l'assiette de Julia.

– Je me demande si je ne vais pas appeler ton père… dit-elle.

– Oh non, ne fais pas la rapporteuse ! s'écria Roger. Julia, laisse-la.

– Pas question, dit Julia. J'ai décidé qu'elle ne mangerait pas.

Après la pénible entrevue avec M. Baslam, Chat ne se sentait plus aucun appétit.

– Tiens, dit-il en changeant son assiette de ragoût contre la mare de boue de Janet.

Janet protesta vivement. Mais, lorsque son assiette se trouva en face de Chat, la boue redevint aussitôt du ragoût fumant ; et l'amas de chenilles mouvantes se métamorphosa en un tas de brindilles sèches.

Franchement mécontente, Julia se tourna vers Chat :

– Tu m'embêtes ! Mêle-toi de tes affaires. Elle te traite comme son esclave, et tout ce que tu sais faire, c'est obéir.

– Mais je n'ai fait que changer les assiettes de place ! s'indigna Chat, parfaitement ébahi.

– C'est peut-être Michael, suggéra Roger.

Julia lui lança un regard soupçonneux :

– Ce ne serait pas toi, par hasard ?

Roger nia, mais Julia ne semblait pas convaincue :

– Que le ragoût t'étouffe si tu mens, déclara-t-elle.

Chat eut bien du mal à se concentrer en classe cet après-midi-là. Il ne pouvait quitter Janet des yeux un instant. Elle avait décidé que la meilleure solution était de paraître parfaitement ignare – elle commençait d'ailleurs sérieusement à penser que Gwendoline l'était – et elle en faisait beaucoup trop, ce qui rendait Chat nerveux. Car même Gwendoline était capable de réciter la table de multiplication par deux. Il craignait également que Julia ne se mît à jouer avec son redoutable mouchoir, pendant que M. Saunders aurait le dos tourné. Heureusement, elle n'osa pas. Tout en surveillant les exploits de Janet avec consternation, Chat se demandait où, quand et comment il pourrait trouver les vingt livres pour le mercredi suivant. Il osait à peine imaginer quel serait son avenir s'il n'y parvenait pas. Il savait qu'au bout du compte, inéluctablement, Janet avouerait qu'elle n'était pas Gwendoline. Il sentait déjà sur lui le regard cinglant de Chrestomanci, et il l'entendait dire d'une voix sépulcrale : « Tu étais avec Gwendoline, Eric, lorsqu'elle a acheté le sang de dragon. Tu savais pourtant que c'était interdit. Et tu pensais dissimuler le tout en obligeant Janet à faire face comme si elle était Gwendoline... Tu fais preuve d'un intérêt des plus touchants, Eric... »

Cette pensée lui glaçait le sang. Mais qu'avait-il à vendre, à part une paire de boucles d'oreilles qui clamaient à tue-tête le nom de leur propriétaire ? S'il écrivait au maire de Wolvercote et demandait à la fondation de lui envoyer vingt livres, le maire écrirait à Chrestomanci pour savoir pourquoi Chat avait besoin d'une telle somme. Et alors Chrestomanci poserait sur lui son terrible regard en disant :

« Tu étais avec Gwendoline, Eric, lorsqu'elle a acheté le sang de dragon… » C'était sans espoir.

– Est-ce que ça va, Eric ? lui demanda M. Saunders à plusieurs reprises. Tu n'es pas malade ?

– Non, non, ça va, répondait Chat.

Il ne pensait pas que le fait d'avoir l'esprit simultanément en trois endroits différents puisse être considéré comme une maladie. Même s'il en ressentait les symptômes.

– On joue aux soldats ? proposa Roger après les cours.

Chat aurait bien aimé, mais il avait peur de laisser Janet livrée à elle-même.

– J'ai quelque chose à faire, dit-il.

– Avec Gwendoline, bien sûr, coupa Roger. On va finir pas croire que tu n'es rien d'autre que son ombre.

Chat en fut blessé, car il savait que Janet ne pouvait se passer de lui. En courant pour la rattraper, il songeait qu'il donnerait n'importe quoi pour qu'elle fût de nouveau Gwendoline.

Dans la chambre, Janet s'affairait à rassembler tout ce qu'elle jugeait intéressant : les livres de magie de Gwendoline, les bibelots posés sur le manteau de la cheminée, la petite brosse et le miroir à main dorés assortis à la coiffeuse, un vase, ainsi que la moitié des serviettes de la salle de bains.

– Mais qu'est-ce que tu fais ? demanda Chat.

– J'essaie de réunir tout ce qui peut se vendre, dit Janet. Est-ce que tu peux apporter aussi les objets de ta chambre ? Oh, ne fais pas cette tête ! Je sais que c'est du vol, mais l'idée que ce M. Bisto aille tout raconter à Chrestomanci me fait si peur que je me dis : « Tant pis ! »

Elle se mit à examiner les vêtements accrochés dans la penderie.

– Il est superbe, ce manteau !

– Tu en auras besoin le dimanche quand il commencera à faire froid, dit Chat d'un ton morne. Bon, je vais voir ce que j'ai. Seulement, promets-moi de ne pas bouger d'ici avant que je revienne.

– Oui, maître, ânonna Janet, c'est promis. Mais fais vite !

Il n'y avait pas grand-chose dans sa chambre, mais Chat ramassa tout ce qu'il put. Il eut même l'idée de prendre la superbe éponge de la salle de bains. Cependant, il se sentait horriblement mal à l'aise. Janet et lui enveloppèrent leurs trouvailles dans deux serviettes et ils descendirent sur la pointe des pieds, avec leurs baluchons qui tintaient plus ou moins discrètement. Ils s'attendaient sans cesse à être découverts.

– J'ai l'impression d'être un voleur avec son butin, chuchota Janet, que quelqu'un va allumer un projecteur et que la police va nous encercler. Dis, tu crois qu'il y a des policiers dans le coin ?

– Oui, dit Chat. Alors tais-toi !

Mais, comme à l'accoutumée, il n'y avait personne aux abords de la petite porte. Ils s'en approchèrent en rasant les murs et sortirent précipitamment. Il n'y avait personne non plus près des rhododendrons. Ils rampèrent donc en direction des buissons : s'ils avaient caché M. Baslam, ils les dissimuleraient largement, eux et leurs paquets.

A peine s'étaient-ils éloignés de quelques pas que des dizaines de voix se mirent brusquement à chanter en chœur. Janet et Chat sursautèrent violemment. « Nous appartenons au château de Chrestomanci ! Nous appartenons au château de Chrestomanci ! » clamaient les voix, certaines graves, d'autres aiguës, mais toutes très fortes. Elles faisaient un vacarme épouvantable. Il fallut quelques secondes à Janet et à Chat pour comprendre que les voix venaient de leurs baluchons.

– Ah ! nom d'un chien ! s'exclama Janet.

Ils firent demi-tour et se précipitèrent vers la porte, avec quarante voix qui leur déchiraient le tympan.

C'est alors que la porte s'ouvrit. Grande et mince, toute de pourpre vêtue, Mlle Bessemer les attendait calmement sur le seuil. Janet et Chat n'avaient pas le choix : ils se hâtèrent d'entrer et, l'air penaud, posèrent dans le couloir leurs baluchons redevenus silencieux. Ils avalèrent leur salive et s'armèrent de courage.

– Quel horrible bruit, mes petits ! dit Mlle Bessemer. Je n'en avais pas entendu de tel depuis qu'un stupide magicien a essayé de nous cambrioler, il y a des années. Mais que faisiez-vous donc ?

Janet se demandait, une fois de plus, qui pouvait bien être cette imposante dame en rouge, et n'osait pas ouvrir la bouche. Chat dut, une fois encore, se débrouiller seul.

– Nous voulions jouer dans la cabane, dit-il, et il nous fallait des objets pour faire plus vrai.

Il fut agréablement surpris de sa propre assurance, et de l'habileté de son mensonge.

– Vous auriez dû me le dire, gros bêtas ! s'exclama Mlle Bessemer. Je vous aurais donné des objets qui peuvent sortir de la maison sans faire de raffut ! Allez vite remettre ces choses là où vous les avez trouvées. Demain, c'est promis, je vous en donnerai d'autres, et vous pourrez faire une belle maison.

Ils regagnèrent piteusement la chambre de Gwendoline.

– Cette magie partout, ça me tape sur les nerfs, grommela Janet. Je n'en peux plus. Qui était cette femme en rouge ? Encore une magicienne, je parie !

– C'était Mlle Bessemer, la gouvernante, dit Chat.

– Aucun espoir qu'elle nous donne de ces superbes bibelots qui nous rapporteraient tout de suite vingt livres, soupira Janet.

Chat ne répondit rien. Il savait qu'elle avait raison. Ils commençaient tous deux à chercher un autre moyen de se procurer de l'argent lorsque le gong retentit.

Chat avait brossé à Janet un tableau effroyable des dîners au château. Elle avait promis de ne pas sursauter quand les valets lui brandiraient les plats sous le nez et juré de ne pas essayer de parler peinture avec M. Saunders. Elle assura également à Chat qu'elle écouterait stoïquement Bernard et ses histoires de valeurs boursières. Chat eut donc le sentiment que, pour une fois, il pourrait être tranquille. Il aida Janet à s'habiller, alla lui-même prendre une douche et, au moment d'entrer dans la salle à manger, il garda la tête haute et la démarche assurée.

Mais M. Saunders, pour une raison inconnue, semblait avoir décidé ce soir-là de mettre de côté sa passion pour les tableaux et les statues. Inexplicablement, les convives se mirent à parler des vrais jumeaux puis, de fil en aiguille, ils en arrivèrent au sujet des doubles parfaits, qui était pourtant un problème tout à fait différent. Même Bernard, soudain passionné, en oublia ses sacro-saintes valeurs boursières.

– Ce qui est intéressant, dit-il de sa voix retentissante, en fronçant ses épais sourcils, c'est comment ces personnes prennent leur place dans une même série d'autres mondes.

Ainsi, à la consternation de Chat, la conversation s'orienta sur les contrées de l'au-delà. En d'autres circonstances, il eût trouvé le sujet passionnant. Mais, ce soir-là, il n'osait plus regarder le visage de Janet et souhaitait ardemment que les convives changent de centre d'intérêt. Hélas, tous s'enflammaient et parlaient avec enthousiasme, surtout Bernard et M. Saunders. Chat comprit qu'on savait beaucoup de choses sur les autres mondes. Bon nombre d'entre eux avaient été visités. Les plus connus avaient fait l'objet d'une classification. Appartenaient à une même série les mondes qui avaient des événements historiques communs. Il était extrêmement rare de n'avoir pas au moins un double dans l'un des mondes d'une même série. En règle générale, à chaque personne correspondait tout un chapelet de doubles éparpillés dans les différents mondes de la série.

– Mais que sait-on des doubles des autres séries ? demanda M. Saunders. J'ai au moins un double, je le sais, en série III et je soupçonne l'existence d'un autre en…

Janet se souleva brusquement de sa chaise, en disant d'une voix étouffée :

– Chat, à l'aide ! J'ai l'impression d'être assise sur des aiguilles !

Chat regarda Julia. Il remarqua aussitôt le petit sourire caractéristique sur son visage, et le mouchoir noué près de son assiette.

– On va changer de place, chuchota-t-il d'un air las.

Il se leva. Tous les regards se tournèrent vers lui.

– Tout ceci m'amène à conclure que nous n'avons pas encore trouvé de classification réellement satisfaisante, dit M. Saunders en se tournant lui aussi vers Chat.

– Est-ce que je pourrais changer de place avec J… Gwendoline, s'il vous plaît ? demanda Chat. Elle n'entend pas tout ce que dit M. Saunders.

– Oui. Et c'est tellement intéressant, balbutia Janet en bondissant de sa chaise.

– Si elle le juge absolument nécessaire, dit Chrestomanci sur un ton légèrement contrarié.

Chat s'assit sur la chaise de Janet, mais il n'y trouva rien d'anormal. Julia lui lança un regard mauvais et dénoua rageusement son mouchoir. Chat comprit qu'elle allait bientôt le haïr, lui aussi. Il soupira.

Toutefois, en se mettant au lit, ce soir-là, Chat ne se sentait pas désespéré. Il ne pouvait imaginer une situation pire que celle qu'il lui fallait vivre actuellement. Elle ne pouvait donc que s'améliorer. Peut-être Mlle Bessemer leur donnerait-elle quelque chose de valable. Ou, mieux encore, peut-être Gwendoline serait-elle de retour à son réveil, résolvant ainsi tous ses problèmes.

Mais lorsqu'il entra dans la chambre de Gwendoline le matin, il y trouva encore Janet en train de se battre avec ses jarretières et grommelant :

– C'est épouvantable, ce truc-là. Est-ce que les garçons en mettent aussi ? Ou est-ce que c'est une torture spécialement réservée au sexe féminin ? Tiens, voilà un problème que la magie pourrait résoudre, histoire de se rendre utile : faire tenir les bas. Je crois bien que les sorcières n'ont aucun esprit pratique.

Elle parlait beaucoup mais, après tout, c'était mieux que de se retrouver seul après le départ de Gwendoline.

Au petit déjeuner, Euphémie et Mary se montrèrent peu amicales et, dès qu'elles eurent quitté la pièce, l'un des rideaux vint s'enrouler autour du cou de Janet et commença à l'étrangler. Chat réussit à le dérouler et à l'écarter de Janet. Mais le rideau se débattait, se contorsionnait frénétiquement, car Julia tenait dans ses mains les deux extrémités du mouchoir et tirait sur le nœud de toutes ses forces.

– Arrête, Julia ! supplia Chat.

– Oui, arrête, approuva Roger. C'est bête et ennuyeux. Et puis je voudrais savourer mon petit déjeuner tranquillement.

– Je voudrais qu'on fasse la paix, offrit Janet.

– Eh bien, tu es la seule, ricana Julia.

– Alors soyons ennemies ! aboya Janet, exactement comme l'eût fait Gwendoline. Au début, je me disais que tu pouvais peut-être être sympathique. Mais finalement, tu n'es qu'une petite mocheté, une sale sorcière bouffie à tête de cochon !

Il y avait là, bien sûr, tous les compliments susceptibles de faire naître une amitié profonde.

Fort heureusement, M. Saunders vint les chercher plus tôt que d'habitude. Il y eut juste assez de temps pour que la confiture de Janet se remplisse d'asticots – qui disparurent lorsque Chat fit l'échange des tartines – et pour que son café se transforme en une épaisse sauce amère, qui redevint du café lorsque Chat prit la tasse. Chat se sentit soulagé de voir apparaître M. Saunders, jusqu'à ce qu'il l'entende dire :

– Eric, Chrestomanci veut te voir maintenant dans son bureau.

Chat se leva, blême. Son estomac, repu de confiture ensorcelée, opéra une plongée étonnamment rapide vers les oubliettes du château.

« Il sait, se répétait-il. Il sait pour le sang de dragon et pour Janet. Et il va me regarder droit dans les yeux et... si jamais c'est vraiment un magicien, il... »

– Où dois-je aller ? réussit-il à balbutier.

– Roger va t'accompagner, répondit M. Saunders.

– Et... et pourquoi ?

M. Saunders sourit.

– Tu ne vas pas tarder à le savoir. Allez, va !

Chapitre douze

Le bureau de Chrestomanci était une vaste pièce ensoleillée, aux murs entièrement recouverts d'étagères crou-
lant sous les livres. Il y avait une large table de travail,
également envahie de livres, mais Chrestomanci n'y était
pas assis. Il était nonchalamment étendu sur un divan,
dans un rayon de soleil, et lisait un journal. Il portait une
robe de chambre de satin vert sur laquelle étaient brodés
de petits dragons couleur d'or, qui miroitaient au soleil.
Chat ne pouvait en détacher son regard. Il était debout
dans l'encadrement de la porte, incapable de faire un pas
de plus, et se répétait : « Il sait. »

Chrestomanci leva les yeux et lui sourit :

– N'aie pas peur, voyons, dit-il en posant son journal.
Viens t'asseoir.

Il lui désigna un large fauteuil de cuir. Son ton et ses
gestes étaient tout à fait amicaux mais, depuis les récents
événements, Chat n'accordait plus aucun crédit à cette
bienveillance. Il était même convaincu que son compor-

tement le plus amical pouvait masquer la plus redoutable colère.

Il se précipita vers le fauteuil et s'y assit. Malheureusement, le siège étant profond et incliné, Chat glissa en arrière et il s'enfonça de plusieurs centimètres. Une fois calé au fond du fauteuil, il constata qu'il ne pouvait apercevoir Chrestomanci qu'entre ses genoux. Il se sentit misérable et sans défense. Il songea cependant qu'il lui fallait dire quelque chose, alors il murmura :

– Bonjour !

– Tu le dis sans grande conviction, observa Chrestomanci. Tu dois avoir tes raisons. Toutefois rassure-toi, je ne t'ai pas fait venir pour te parler à nouveau de cette histoire de grenouille, enfin pas exactement. Vois-tu, j'ai réfléchi à ton sujet…

– Oh, il ne fallait pas ! dit Chat du fond de son fauteuil.

Même si Chrestomanci avait concentré ses pensées sur l'autre bout de l'univers, Chat ne se serait pas vraiment senti en sécurité. Alors d'imaginer qu'il avait pu réfléchir à son sujet le terrifiait.

– Ça ne m'a pas causé tant de mal, sourit Chrestomanci. Enfin, je te remercie. Donc, comme je le disais, cette histoire de grenouille m'a donné à réfléchir. Et, bien que je craigne que tu n'aies guère plus de sens moral que ta misérable sœur, je me demande si je peux te faire confiance. Crois-tu que je puisse te faire confiance ?

Chat se demandait où tout cela allait le mener. Il pouvait juste en déduire que, selon toute apparence, Chrestomanci était loin d'avoir confiance en lui.

– Personne ne m'a jamais fait confiance jusqu'ici, répondit Chat prudemment – à part Janet, songeait-il, mais uniquement parce qu'elle n'avait pas le choix.

– Mais cela vaudrait peut-être la peine d'essayer, tu ne

181

crois pas ? suggéra Chrestomanci. Je te le demande parce que j'ai l'intention de te faire suivre des cours de sorcellerie à partir de maintenant.

Chat s'attendait à tout sauf à ça. Il en fut horrifié. Il se sentit glisser encore plus profondément dans le fauteuil et fit de gros efforts pour dissimuler la panique qui l'envahissait. Dès que M. Saunders commencerait les leçons, il se rendrait compte que Chat n'avait strictement aucun don pour la sorcellerie. Alors, Chrestomanci réfléchirait à nouveau à l'histoire de la grenouille. Chat se maudit intérieurement d'avoir fait cette confession, et maudit par la même occasion Janet, sans qui il ne se serait jamais mis dans un tel pétrin.

– Oh non, ne faites pas ça ! plaida-t-il. Ce serait terrible. Vous ne pouvez absolument pas me faire confiance, je vous l'assure ! Je suis très méchant. Je n'ai que de mauvaises intentions. C'est en vivant chez Mme Sharp que ça m'a pris. Si j'apprends la sorcellerie, vous ne pouvez pas imaginer de quoi je serai capable. Regardez ce que j'ai fait à Euphémie !

– Justement, dit Chrestomanci. Je veux prévenir ce genre d'accident. Si tu apprends à maîtriser tes facultés, tu auras peu de chances de commettre à nouveau ce type d'erreur.

– Oui. Mais je le ferai certainement exprès, assura Chat. Vous prenez un risque énorme.

– Je prends un risque, admit Chrestomanci. Mais, tu sais, la sorcellerie est un don qui finit toujours par s'exprimer. Aucune personne dotée de pouvoirs ne pourrait passer sa vie sans jamais les utiliser. Qu'est-ce qui te fait croire au juste que tu es si pervers ?

Cette question déconcerta totalement Chat.

– Euh… je vole des pommes, finit-il par répondre. Et, parfois, cela me plaisait ce que faisait Gwendoline.

– Oh, à moi aussi, convint Chrestomanci. C'était amusant de se demander quelle serait sa prochaine trouvaille. Son défilé de monstres ? Et les apparitions ? Qu'en pensais-tu ?

Chat frissonna et pâlit. Ce souvenir le rendait malade.

– C'est bien ce que je pensais, dit simplement Chrestomanci.

Puis, à la consternation de Chat, il ajouta avec un large sourire :

– Michael te donnera ton premier cours de magie élémentaire dès lundi.

– Non, je vous en prie ! s'écria Chat, s'extirpant à grand-peine de son fauteuil pour tâcher de se faire entendre. Je ferai venir une marée de sauterelles, je... ferai pire que Moïse et Aaron.

– Ça pourrait être utile si tu séparais les eaux de la Manche, dit Chrestomanci, rêveur. Songe à tous les pauvres gens qui ont le mal de mer. Mais n'aie pas peur ! Nous n'avons aucune intention de t'enseigner des choses telles que celles que faisait Gwendoline.

Chat se dirigea mélancoliquement jusqu'à la salle de classe où Janet se débattait avec ses notions de géographie. M. Saunders venait de la tancer vertement parce qu'elle ne savait pas où se trouvait l'Atlantide.

– Comment pouvais-je deviner que c'était ce que j'appelle chez moi l'Amérique ? dit-elle à Chat à l'heure du déjeuner. Enfin, j'ai tout de même eu de la veine en supposant que ça avait été dirigé par les Incas. Qu'est-ce qu'il y a, Chat ? On dirait que tu as envie de pleurer. Il n'est pas au courant de l'histoire de M. Biswas, j'espère ?

– Non, mais ce n'est pas mieux, soupira Chat. Et il raconta son entrevue avec Chrestomanci.

– Comme si on avait besoin de ça ! s'exclama Janet. Il ne se passe pas un moment sans qu'une nouvelle tuile nous tombe dessus. Mais ce n'est pas si terrible. Tu arriveras peut-être à te débrouiller avec un peu d'entraînement. On verra ce qu'on peut faire après les cours avec les livres que nous a si gentiment laissés la chère Gwendoline.

Chat était presque content quand les cours reprirent : il en avait assez de changer sans cesse son assiette contre celle de Janet. Le mouchoir de Julia devait ressembler à un vieux chiffon, vu le nombre incalculable de nœuds qu'elle y avait faits. Après les cours, ils prirent les deux livres de magie et les apportèrent dans la chambre de Chat, où ils seraient plus en sécurité. Janet regarda la chambre avec admiration.

– Je l'aime beaucoup plus que la mienne. Elle est accueillante et gaie. La mienne me donne l'impression d'être la Belle au bois dormant ou Cendrillon, et c'étaient deux filles parfaitement ennuyeuses. Bon, au travail. Il faut commencer par une formule très simple, élémentaire.

Agenouillés sur le sol, ils se mirent à feuilleter un livre chacun.

– J'aimerais trouver celle qui change les boutons en pièces d'or. Ça nous permettrait de payer M. Baslam, dit Chat.

– Ne me parle pas de lui, dit Janet. Je ne sais plus que faire. J'en rêve la nuit. Et si tu essayais celle-là ? Simple exercice de lévitation. Prenez un petit miroir et posez-le de façon qu'il reflète votre visage. Tournez ensuite autour, dans le sens inverse des aiguilles d'une montre (en prenant garde à ce que le miroir reflète toujours votre visage) trois fois. Deux fois en silence, avec concentration, et une troisième fois en disant : « Monte, petit miroir, monte dans les airs, monte jusqu'à mon visage, et ne reviens plus à terre. » Le miroir doit alors s'élever. Il me semble que tu devrais être capable de faire ça, Chat.

– Je peux toujours essayer, dit Chat, dubitatif. Ça va dans quel sens, les aiguilles d'une montre ? ajouta-t-il, penaud.

Janet lui montra.

– Au moins une chose que je sais, dit-elle.

Puis elle considéra Chat un moment :

– Bien sûr, tu es encore petit. Mais, tout de même, tu m'inquiètes ; tu te laisses intimider si facilement. Est-ce que quelqu'un t'a fait quelque chose ?

– Je ne crois pas, répondit Chat surpris. Pourquoi ?

– Eh bien, je n'ai jamais eu de frère, alors… dit Janet. Bon, apporte un miroir.

Chat alla décrocher le miroir fixé au-dessus de sa commode et le posa avec précaution sur le tapis.

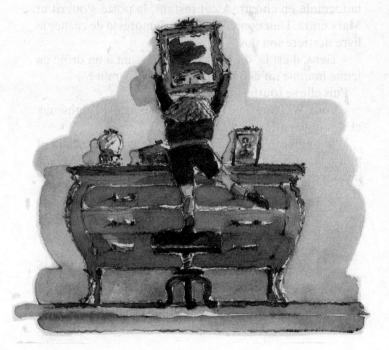

185

– Comme ça ?

Janet soupira :

– C'est bien ce que je pensais. J'étais certaine que tu irais le chercher si je te l'ordonnais. Ça te dérangerait de ne plus être aussi gentil et obéissant ? Ça me rend nerveuse. Tu peux te voir dedans ? demanda-t-elle en prenant le livre dans ses mains.

– Je ne vois rien d'autre.

– Tiens, c'est drôle, je m'y vois aussi, dit Janet. Est-ce que je peux le faire avec toi ?

– De toute façon, il y a sûrement plus de chance pour que ça marche si tu le fais que si c'est moi, dit Chat.

Ils tournèrent donc autour du miroir et prononcèrent la formule en chœur. A cet instant, la porte s'ouvrit et Mary entra. L'air coupable, Janet s'empressa de cacher le livre derrière son dos.

– Tiens, il est là, dit Mary en s'adressant à un drôle de jeune homme qu'elle fit entrer dans la chambre.

Puis elle se tourna vers Chat :

– Voilà Will Suggins, Eric. C'est le fiancé d'Euphémie, et il veut te parler.

Will Suggins était un jeune homme grand, costaud et plutôt beau. Ses vêtements soignés mais poudrés de blanc laissaient deviner qu'il travaillait dans une boulangerie. Il s'avança vers Chat, l'air menaçant :

– C'est toi qui as changé Euphémie en grenouille l'autre jour ?

– Oui, répondit Chat d'une voix mal assurée.

Mary présente, il lui était difficile d'affirmer le contraire.

– Tu es bien petit, constata Will Suggins, un peu désappointé. De toute façon, ajouta-t-il, ta taille n'a pas d'importance. Je n'admets pas que l'on touche à Euphémie, et tu n'as pas intérêt à recommencer ce genre de plaisanterie parce que je n'ai aucun sens de l'humour. Compris ?

– Je suis sincèrement désolé, dit Chat. Je ne recommencerai pas, je vous le jure.

– Il est un peu tard pour être désolé, poursuivit Will Suggins. D'après ce que Mary m'a dit, tu n'as pas eu l'air d'être tellement désolé. Alors je vais te donner une leçon que tu ne seras pas près d'oublier.

– Ah ça non ! s'écria Janet.

Elle se planta devant Will Suggins en le menaçant avec le livre de magie.

– Vous êtes trois fois plus grand que lui, et puis il est vraiment désolé. Si vous osez le toucher je vous – elle se mit à feuilleter le livre – je vous provoquerai... une immobilité totale des jambes et du tronc.

– Oh, ça m'irait sans doute très bien ! s'esclaffa Will Suggins. Et aurais-tu l'obligeance de me dire comment tu vas t'y prendre, sans tes pouvoirs ? Et puis, autant te prévenir, j'ai mes petits talents, moi aussi.

Il se tourna vers Mary :

– Tu aurais dû me dire qu'il était si petit.

– Si petit, avec ce qu'il est capable de faire ? s'offusqua Mary. D'ailleurs, ils ne sont petits ni l'un ni l'autre. De la graine de potence, voilà ce qu'ils sont.

– Bien, alors, j'utiliserai la magie. Ainsi nous serons à armes égales, conclut Will Suggins.

Il fouilla dans ses poches, dégageant un nuage de farine, et en extirpa ce qui semblait être un morceau de pâte à pain. Il se mit à la pétrir vigoureusement, puis en fit une boule qu'il jeta sur le sol. Elle atterrit aux pieds de Chat avec un bruit mou. Chat la considéra avec appréhension, s'attendant au pire, même de la part d'une boule de pâte.

– Voilà, dit Will Suggins. Cette boule restera ici jusqu'à

dimanche, quinze heures. Le dimanche n'est pas un jour recommandé pour pratiquer la sorcellerie, mais c'est mon seul jour de congé. A quinze heures, je t'attendrai dans le champ près du cimetière, et je me serai changé en tigre. Je suis très bien en tigre. Tu auras le droit de te transformer en n'importe quel animal. Un gros et féroce, ou un petit et rapide, comme tu voudras. Et là je te donnerai une leçon. Mais si tu n'es pas au rendez-vous, cette boule de pâte libérera ses pouvoirs, et tu seras changé en grenouille, pour un temps indéterminé. Cela dépendra de mon humeur. Bien, Mary, c'est tout ce que j'avais à dire.

Il quitta la chambre. Mary lui emboîta le pas, mais elle ne put s'empêcher de se retourner pour lancer à Chat :

– Si tu pouvais voir ta tête en ce moment, Eric !

Et la porte se referma. Janet et Chat se regardèrent, puis ils regardèrent la boule de pâte.

– Qu'est-ce que je vais faire ? gémit Chat.

Janet jeta son livre sur le lit et tenta de décoller la boule de pâte. En vain. Elle était fixée au tapis et Janet ne put la faire bouger d'un pouce.

– Il faudrait faire un trou dans le plancher pour l'enlever, soupira-t-elle. Chat, tout va de mal en pis. Excusemoi, mais si je pouvais avoir ta délicieuse sœur en sucre d'orge devant moi, je lui mettrais mon poing sur le nez.

– C'est ma faute, dit Chat. Je n'aurais pas dû mentir au sujet d'Euphémie. C'est pour ça que je suis dans un tel pétrin. Ce n'est pas à cause de Gwendoline.

– Pétrin, c'est le mot, dit gravement Janet en regardant la boule de pâte. Résumons : dimanche, tu vas te faire attaquer par un tigre. Lundi, tout le monde saura que tu n'es pas magicien. Et si toute l'histoire n'est pas encore découverte, M. Bedlam se fera un plaisir d'achever le travail mercredi. Tiens, c'est curieux : rien n'est prévu pour mardi. Ce sera peut-être une surprise de dernière minute. Je suppose que si tu vas à ce rendez-vous, dimanche, il ne pourra pas te faire beaucoup de mal. De toute façon, cela vaut mieux que d'attendre ici que tu sois transformé en grenouille.

– Oui, je crois aussi, dit Chat sans enthousiasme. Si seulement j'avais ses pouvoirs, je me changerais en puce. Il deviendrait complètement fou en essayant de m'attraper.

Janet ne put s'empêcher de rire :

– On peut toujours chercher la formule et faire l'essai.

Elle se leva pour aller prendre le livre de magie et se cogna la tête… contre le miroir. Il flottait dans l'air, à la hauteur de son front.

– Chat, regarde ! On a réussi !

Chat jeta au miroir un regard distrait. Il avait d'autres choses en tête.

– Ça doit être toi. Tu es comme Gwendoline, alors c'est normal que tu aies réussi. Mais on ne trouvera aucune formule pour me transformer dans ces livres. Ce sont des cours pour débutants.

– Bon, je vais prononcer la formule pour faire descendre le miroir, annonça Janet. Oh, ce n'est pas que j'aie envie de jouer à la sorcière. Plus je côtoie des gens comme ça, plus je me dis qu'ils abusent de leurs pouvoirs pour maltraiter les autres.

Elle allait lire la formule lorsqu'on frappa à la porte. Janet saisit une chaise et la plaça devant le miroir, pour le dissimuler ; Chat s'empressa de jeter son chapeau sur la boule de pâte. Ils ne voulaient pas risquer de nouveaux ennuis.

Janet retourna le livre de magie pour en cacher la couverture et, le tenant d'une main, elle se mit à déclamer :

– Entrez dans le jardin, Maud…

Prenant cela pour une invitation, Mlle Bessemer parut, les bras chargés d'ustensiles divers, une théière fêlée suspendue au bout de l'index.

– Les affaires que je vous avais promises, mes chéris, dit-elle avec un sourire bienveillant.

– Oh, dit Janet, merci beaucoup, mademoiselle Bessemer. On était en train de lire de la poésie.

– Ah bon, je croyais que vous m'aviez dit d'entrer ! dit Mlle Bessemer en riant. Je pose tout sur le lit, d'accord ?

– Oui, merci, dit Chat.

Janet et lui opérèrent un mouvement stratégique pour dissimuler le miroir, tandis que Mlle Bessemer se dirigeait vers le lit, et ils la remercièrent chaleureusement. Dès qu'elle eut quitté la pièce, ils se ruèrent sur le lit pour faire l'inventaire du trésor. Bien entendu, il n'y avait là aucun objet de valeur. Comme le dit Janet, s'ils avaient vraiment voulu aménager une cabane, ils auraient été comblés, avec les deux chaises, le vieux tapis et la batterie de cuisine. Mais, du point de vue commercial, c'était une catastrophe.

– C'est gentil de sa part de s'en être souvenue, dit Chat en entassant le tout dans son armoire.

– Sauf que, maintenant, on va être obligés de jouer avec, remarqua Janet, morose. Comme si on n'avait que ça à faire ! Bon, à présent je vais faire descendre ce miroir.

Mais le miroir refusa obstinément de descendre. Janet eut beau déclamer sur tous les tons la moitié des formules de chaque livre, le miroir ne s'abaissa pas, fût-ce d'un millimètre, comme s'il la narguait.

– Essaie, toi, suggéra Janet. On ne peut tout de même pas le laisser comme ça.

Chat considérait la boule de pâte, l'air inquiet. Il venait

de marcher dessus par inadvertance, et elle n'en gardait aucune trace. Elle était bien ronde, intacte, et Chat songeait à la puissance invisible qu'elle recelait. A l'appel de Janet, il se leva en soupirant et alla se planter devant le miroir. Ses expériences avec Julia lui avaient démontré qu'un simple sortilège pouvait être rompu sans difficulté.

Le miroir refusa de descendre, mais il se mit soudain à glisser doucement dans l'air. Cela éveilla en Chat une lueur d'intérêt. Il saisit le miroir à deux mains, donna une forte poussée avec ses pieds et traversa la chambre sans toucher le sol. Il en retrouva presque le sourire.

– Ça a l'air chouette ! s'exclama Janet.

– Extra, affirma Chat. Essaie.

Ils s'adonnèrent aussitôt à ce nouveau jeu. Le miroir pouvait aller très vite, suivant l'élan qu'ils lui impulsaient, et il les transportait tout deux en même temps sans problème. Janet pensa que le meilleur vol devait être obtenu en prenant son élan du haut de la commode. Ainsi, en gardant les pieds levés, on pouvait naviguer à travers toute la pièce et atterrir sur le lit. Ils expérimentaient cette méthode avec enthousiasme lorsque Roger frappa à la porte et entra.

– Ah, c'est une bonne idée ! s'exclama-t-il. Nous n'y avions jamais pensé. Je peux faire un tour ? Tiens, j'ai rencontré un drôle de type au village, Gwendoline, et il m'a donné cette lettre pour toi.

Chat sauta immédiatement sur le tapis et prit la lettre. Elle était de M. Nostrum. Chat reconnaissait son écriture. Il était si content qu'il lança à Roger :

– Vingt tours, si tu en as envie !

Et il se précipita sur Janet qui venait d'atterrir.

– Lis, vite ! Qu'est-ce qu'il dit ?

M. Nostrum pouvait résoudre leurs problèmes. Il

n'était peut-être pas très doué, mais il saurait certainement changer Chat en puce, si Janet le lui demandait poliment. Et il pourrait sans doute aider Chat à donner l'illusion qu'il avait quelques capacités de magicien. Enfin, il n'était pas riche, mais son frère l'était. Il pourrait leur prêter vingt livres. M. Nostrum ne pouvait pas refuser grand-chose à Gwendoline.

Ils s'installèrent sur le lit pour lire la lettre, tandis que Roger planait au-dessus d'eux, l'air réjoui. M. Nostrum avait écrit :

Ma très chère élève,
Je suis ici, domicilié à l'auberge du Cerf blanc. Il est terriblement important – je répète, d'une importance capitale – que tu viennes me voir samedi après-midi, et que tu amènes ton frère afin que je lui donne mes instructions.
Ton professeur affectionné
et fier de toi,

Henry Nostrum

Perplexe, Janet fronça les sourcils.

– Pas de mauvaises nouvelles, j'espère, dit Roger qui passait devant eux, les pieds en canard.

– Non, les meilleures nouvelles possibles, affirma Chat.

Il fit signe à Janet de sourire, ce qu'elle fit laborieusement, avant de se remettre à contempler la lettre avec inquiétude.

– S'il était le professeur de Gwendoline, murmura-t-elle, il va se rendre compte que je ne suis pas elle. Et s'il ne s'en aperçoit pas, il ne comprendra pas pourquoi il faut que tu te changes en puce. Et s'il se demande tout d'un coup pourquoi je ne peux pas le faire moi-même ? Tu ne crois pas que nous devrions lui dire la vérité ?

– Non, parce qu'il est très attaché à Gwendoline. Il ne nous aiderait pas. Il s'en moquerait, expliqua Chat.

Quelque chose lui disait que le départ de Gwendoline pour un autre monde ferait aussi peu plaisir à M. Nostrum qu'à Chrestomanci.

– Et puis, il a des projets concernant Gwendoline.

– Oui, ça se devine, ronchonna Janet. Et je serai censée les connaître. Tu veux que je te dise : c'est un problème de plus.

Chat ne put convaincre Janet qu'ils étaient sur le point d'être sauvés. Lui le pensait sincèrement.

Il s'endormit paisible et se réveilla joyeux. Il ne se troubla même pas lorsqu'il buta contre la boule de pâte, qui était pourtant froide et humide comme le dos d'une grenouille. Il la dissimula sous le livre de magie. Il lui fallut ensuite s'occuper du miroir, qui planait toujours, imperturbable. Chat le fixa à la bibliothèque au moyen d'un lacet.

Il trouva Janet plus maussade que jamais. La dernière invention de Julia était un moustique. A peine Janet était-elle entrée dans la salle de jeux qu'il s'était mis à voler autour de ses oreilles et à la piquer sans relâche. Il ne la quitta pas, même pendant la leçon. Enfin, Chat réussit à l'écraser avec son livre d'algèbre. Entre ce moustique, les mauvais regards de Mary et de Julia et la perspective de rencontrer M. Nostrum, Janet se sentait impuissante et désespérée.

– Ça t'est égal, à toi, grognait-elle, tandis qu'ils marchaient en direction du village, le même après-midi. Tu as été élevé au milieu de la sorcellerie, tu y es habitué. Mais pas moi. Et ce qui me fait encore plus peur, c'est que je n'y suis peut-être pas pour toujours. Imagine que Gwendoline s'ennuie dans son nouveau monde et qu'elle décide de déménager encore ! Toute la série de doubles devra déménager aussi. Et je devrai me débrouiller dans un autre monde. Et toi, tu devras te débrouiller avec un autre double, avec tous les ennuis que ça comporte.

– Oh, je suis sûr que ça n'arrivera pas, dit Chat, plutôt effrayé par cette idée. Elle va revenir bientôt.

– Tu crois ça ? demanda Janet.

Ils passèrent les grilles du château. Les rues du village se vidaient au fur et à mesure qu'ils avançaient. Les mères leur lançaient des regards malveillants avant d'entraîner leurs enfants à l'intérieur des maisons.

– Je voudrais rentrer chez moi, gémit Janet au bord des larmes, en voyant les gens s'écarter sur son passage.

CHAPITRE TREIZE

A l'auberge du Cerf blanc, on les introduisit dans un petit salon privé, où M. Nostrum les attendait. Il les accueillit pompeusement.

– Mes chers amis !

Il posa une main sur les épaules de Janet et l'embrassa. Elle sursauta à ce contact et son chapeau tomba sur ses oreilles. Chat était un peu bouleversé. Il avait complètement oublié l'aspect misérable de M. Nostrum et le curieux effet provoqué par les mouvements incessants de son œil gauche.

– Asseyez-vous ! Vous prendrez bien un soda ! leur proposa-t-il gentiment.

Ils s'assirent et sirotèrent leur soda, alors que ni l'un ni l'autre n'aimaient cette boisson.

– Pourquoi vouliez-vous nous voir ? demanda Chat.

– Eh bien, répondit M. Nostrum, pour aller droit au but et ne point tourner autour du pot, nous nous trouvons, comme nous l'avions craint, dans l'incapacité de tirer

195

parti de ces trois signatures que vous avez eu la bonté de me léguer, en compensation de mes services pédagogiques. Il se trouve que le maître du château voisin, dont je ne daignerai pas prononcer le nom, entoure ses écrits de protections inviolables. Cette prudence de sa part nous contraint à envisager dans les plus brefs délais le déclenchement du plan numéro deux. C'est d'ailleurs dans cette optique, mon cher Chat, que nous vous avions introduits dans le château.

– C'est quoi le plan numéro deux ? demanda distraitement Janet.

L'œil vagabond de M. Nostrum se dirigea vers le visage de Janet. Apparemment, il ne se doutait pas de la supercherie. Peut-être cet œil insoumis y était-il pour quelque chose ?

– Le plan numéro deux est exactement tel que je te l'ai précédemment décrit, ma très chère Gwendoline, dit M. Nostrum. Nous ne l'avons absolument pas modifié.

Janet dut trouver un autre moyen d'obtenir les informations qui lui faisaient cruellement défaut. Elle avait fait de gros progrès dans ce genre d'exercice.

– Je voudrais que vous le décriviez à Chat, dit-elle. Il n'est pas du tout au courant, ce qui pourrait être gênant parce que, voyez-vous, ils m'ont privée de mes pouvoirs…

M. Nostrum pointa vers elle un doigt menaçant :

– Oui, vilaine fille. On m'a raconté bien des choses sur toi au village. Tu as été très imprudente. Enfin, espérons que ce ne sera que temporaire. Pour ce qui est d'informer le jeune Chat… Voyons, comment pourrais-je lui expliquer ?

Il se mit à réfléchir en lissant de la main une mèche de cheveux, ce qui était chez lui une habitude. Chat, qui l'observait attentivement, eut l'intuition que ce que M. Nostrum allait lui dire ne serait pas l'entière vérité. Il le devinait dans son œil vagabond qui semblait plus que jamais lointain.

– Eh bien, mon jeune ami, dit M. Nostrum, je vais te résumer la situation. Il existe un groupe, un groupe de personnes, dirigé par le maître du château, qui se comporte de manière très égoïste vis-à-vis des sorciers et des magiciens en général. Ils gardent le meilleur pour eux-mêmes, ce qui, bien sûr, les rend très dangereux – une véritable menace pour la profession et une épouvantable malédiction pour le commun des mortels. Prenons l'exemple du sang de dragon. Comme tu le sais, le commerce en est interdit. Ces gens, avec cette personne à leur tête, en ont décidé ainsi, et pourtant – note bien ceci, mon garçon – ils l'utilisent, eux, quotidiennement. De plus – et c'est là mon principal propos –, ils gardent jalousement les moyens qui permettent de se rendre dans d'autres mondes, des mondes où l'on peut se procurer du sang de dragon. Un modeste nécromancien comme moi ne peut s'en procurer qu'à ses risques et périls, et nos fournisseurs de substances exotiques mettent leur vie en danger pour nous le faire parvenir. Et il en est ainsi pour tous les produits qui viennent d'un autre monde.

« A présent, je te le demande, jeune Chat, cela est-il juste ? Non. Et je vais te dire pourquoi, jeune Eric. Il est injuste que les routes pour les autres mondes soient la propriété d'une poignée de gens. Nous les voulons ouvertes, à la disposition de tous. Et c'est ici que tu entres en jeu, mon jeune ami. Le meilleur moyen, le plus facile, la large porte qui mène à l'au-delà, si je puis m'exprimer ainsi, est un certain jardin défendu qui se trouve dans l'enceinte dudit château. On t'a d'ailleurs certainement interdit d'y pénétrer.

– Oui, c'est vrai, dit Chat.

– Quelle injustice ! s'exclama M. Nostrum. Le maître des lieux l'utilise tous les jours et voyage à son gré. Alors, ce que je te demande de faire, jeune Chat, et c'est là un des rouages du plan numéro deux, c'est d'entrer dans ce jardin, dimanche après-midi, à quatorze heures trente très précises. Peux-tu me promettre de le faire ?

– A quoi cela vous servirait ? demanda Chat.

– A briser l'enchantement par lequel cet infâme personnage a scellé les portes de l'au-delà, dit M. Nostrum.

– Je n'ai jamais bien compris, avoua Janet en plissant le front de façon très convaincante, comment Chat pouvait rompre le charme rien qu'en se rendant dans le jardin.

M. Nostrum sembla un peu irrité :

– Parce que c'est un garçon innocent, bien sûr ! Ma chère Gwendoline, je t'ai pourtant expliqué plus d'une fois que la présence d'un garçon innocent était capitale pour l'accomplissement du plan numéro deux. Tu dois comprendre.

– Oh oui, je comprends, s'empressa de dire Janet. Et il faut vraiment que ce soit ce dimanche à quatorze heures trente ?

– Absolument, dit M. Nostrum, retrouvant son sourire. C'est le moment idéal. Feras-tu cela pour nous, jeune Chat ? Par ce simple geste, sache que tu libéreras ta sœur et ceux qui sont dans son cas des chaînes qui les empêchent de pratiquer la magie comme ils l'entendent.

– J'aurai de sérieux ennuis si on me surprend, fit observer Chat.

– Alons, allons, tu es un garçon rusé ! Et puis, n'aie aucune crainte, nous serons là pour te protéger, dit M. Nostrum, persuasif.

– Bon, je peux essayer, dit Chat. Mais est-ce que vous

pourriez me rendre un petit service en échange ? Vous croyez que votre frère aurait la gentillesse de nous prêter vingt livres pour mercredi prochain ?

A ces mots, M. Nostrum parut quelque peu songeur, et son œil gauche effectua une rapide ascension. Il répondit cependant de sa voix la plus affable :

– Tout ce qui te fera plaisir, mon cher petit. Il te suffira d'entrer dans ce jardin pour que tous les fruits de l'univers soient à tes pieds. Tu n'auras qu'à te baisser pour les prendre.

– J'aurai besoin de devenir une puce, une demi-heure plus tard, et il faudrait que j'aie l'air d'avoir quelques pouvoirs magiques lundi, ajouta Chat. C'est tout ce que je voudrais, à part les vingt livres.

– Tout ce que tu voudras ! s'écria M. Nostrum. Pourvu que tu te rendes dans le jardin.

Janet et Chat devaient apparemment se satisfaire de ces quelques mots. Chat tenta à plusieurs reprises d'arracher à M. Nostrum une promesse un peu plus concrète, mais il obtenait toujours la même réponse : « Il faut juste que tu te rendes dans le jardin. » Janet et Chat se regardèrent en silence ; puis ils se levèrent pour partir.

– Et si nous bavardions un moment, suggéra M. Nostrum. J'ai des nouvelles amusantes à vous donner.

– Nous n'avons pas le temps, dit Janet d'une voix ferme. Allez viens, Chat.

M. Nostrum avait l'habitude d'entendre Gwendoline parler sur ce ton. Il les accompagna donc à la porte, aussi pompeusement qu'il les avait accueillis.

– A dimanche ! leur cria-t-il tandis qu'ils s'éloignaient.

– Pas question, dit Janet entre ses dents.

Et elle se cacha de M. Nostrum avec son chapeau pour murmurer à Chat :

199

– Chat, ce serait de la folie de faire ce qu'il te demande. Cet homme est certainement malhonnête. Il ne t'a dit que des mensonges. J'en mettrais ma main au feu. Je ne sais pas exactement ce qu'il veut, mais surtout ne l'écoute pas.

– Je sais... commença Chat, mais il fut interrompu par M. Baslam qui s'était levé du banc où il les attendait et courait à leur rencontre.

– Attendez, souffla-t-il, exhalant des vapeurs de bière. Ma petite demoiselle, jeune homme, j'espère que vous n'oubliez pas ce que je vous ai dit. Mercredi, n'oubliez pas, mercredi !

– Pas de danger, dit Janet. J'en rêve la nuit. S'il vous plaît, monsieur Batsam, nous sommes très pressés.

Ils traversèrent la place à grands pas sans voir personne, excepté Will Suggins qui leur lança un regard significatif derrière la vitre de la boulangerie.

– Je crois que je n'ai pas le choix, soupira Chat.

– Non ! Il faut trouver une autre solution, dit Janet d'un ton ferme.

– La seule solution qui nous reste, c'est la fuite, dit Chat.

– Très bien. Alors, partons maintenant, répliqua Janet.

Ils quittèrent donc le village, marchant d'un pas décidé, et prirent une route qui, selon Chat, allait dans la direction de Wolvercote. Lorsque Janet objecta que Wolvercote était certainement le premier endroit où on viendrait les chercher, Chat lui parla de Mme Sharp. Elle lui manquait terriblement. Il ferma un instant les yeux, rêvant qu'il marchait dans Coven Street et que Janet n'était pas là pour faire des objections.

– Bon, tu as peut-être raison, dit Janet. Et puis, de toute façon, on n'a guère d'endroit où aller. Si on faisait du stop pour aller plus vite ?

– Si on faisait quoi ?

Janet expliqua à Chat que l'auto-stop était un moyen facile de voyager, en faisant des signes avec son pouce.

– Ah oui, ça nous ferait gagner du temps, approuva Chat.

Mais la route qu'il avait choisie se transforma bientôt en un petit chemin de terre, sillonné d'ornières et bordé de ronces. Janet eut la délicatesse de ne pas faire remarquer qu'aucun véhicule n'aurait l'idée de passer par là. A vrai dire, son esprit était occupé par un autre problème.

– Il y a une chose importante, dit-elle. Si tu veux qu'on ait une chance de réussir, promets-moi de ne pas prononcer le nom de qui tu sais.

Chat fronça les sourcils.

– Mais tu sais bien, dit Janet un peu agacée, celui que M. Nostrum appelle toujours « cette personne » ou le « maître du château » !

– Ah ! fit Chat. Tu veux dire Chrest...

– Chut ! cria Janet. Je viens de te dire qu'il ne fallait pas prononcer son nom ! C'est un enchanteur, et il suffit de dire son nom pour qu'il vienne, tu n'as pas encore compris ? Tu as bien vu comme M. Nostrum avait peur de le dire, non ?

Chat y réfléchit un instant. D'humeur maussade, il n'avait pas spécialement envie d'être d'accord avec tout ce que Janet disait. D'abord, elle n'était pas sa sœur. En plus, M. Nostrum était un tel menteur que son comportement ne prouvait rien du tout. Et puis, Gwendoline n'avait jamais dit que Chrestomanci était un enchanteur. Et elle n'aurait certainement pas osé faire toutes ces démonstrations si elle l'avait pensé.

– Je ne te crois pas, dit-il simplement.

– Ne me crois pas, si tu veux, mais ne prononce pas son nom, c'est tout.

– D'accord, répondit Chat. De toute façon, j'espère que je ne le reverrai jamais.

Au fur et à mesure qu'ils avançaient, le chemin se faisait plus sauvage. Il y avait des noyers chargés de noix, des ronces regorgeant de mûres, et il faisait bon. Chat commença à se sentir de mieux en mieux. Sa mélancolie disparaissait pour faire place à un sentiment de liberté grisant. Il avait l'impression d'avoir laissé tous ses ennuis au château. Janet et lui se mirent à ramasser des noix, qui étaient bien mûres, et en brisèrent la coque avec une joyeuse excitation. Janet ôta son chapeau – d'ailleurs, elle détestait les chapeaux – et ils le remplirent d'une provision de mûres. Ils s'amusèrent comme des fous en voyant que le jus des mûres avait traversé le chapeau pour couler sur la robe de Janet.

– On a bien fait de partir ! affirma Chat.

– Attends un peu de passer la nuit dans une grange infestée de rats ! dit Janet, au milieu des couinements et des grattements ! Quand la lune éclaire des ombres bizarres et que... Hé ! Chat, regarde ! Il y a une voiture

qui arrive ! Tends ton pouce. Non, ils risquent de ne pas comprendre. Agite les bras plutôt !

Ils firent de grands signes à la superbe voiture noire qui s'approchait en ronflant entre deux cahots. A leur grande joie, elle ralentit pour s'arrêter près d'eux. L'une des vitres s'ouvrit, et ils eurent un terrible choc en voyant apparaître la tête de Julia. Julia était pâle et semblait très agitée :

– Oh, je vous en prie, revenez ! dit-elle. Je sais que vous êtes partis à cause de moi. Je suis désolée. Je ne ferai plus rien maintenant, je le jure.

Roger passa à son tour la tête à travers la vitre.

– Je lui avais dit que vous finiriez par partir, mais elle ne me croyait pas. Oh allez quoi, revenez !

A ce moment la portière du chauffeur s'ouvrit et Milly descendit précipitamment. Elle n'était pas vêtue avec son élégance habituelle. Elle portait des bottes épaisses, un vieux chapeau et elle avait retroussé ses jupes pour conduire. Elle était aussi agitée que Julia. D'un geste fiévreux, elle posa ses bras sur les épaules de Janet et de Chat, puis elle les serra contre elle avec tant d'élan que Chat en perdit l'équilibre.

– Mes pauvres chéris ! Une autre fois si vous êtes malheureux, il faut venir me le dire tout de suite. J'ai eu tellement peur ! Surtout quand Julia m'a dit que c'était sa faute. Je suis extrêmement fâchée contre elle. Je me souviens qu'une fille m'a martyrisée ainsi lorsque j'étais jeune, et cela m'avait rendue terriblement malheureuse. Je vous en prie, revenez. Et puis, j'ai une surprise pour vous au château.

Chat et Janet ne purent rien faire, sinon monter dans la voiture. Ils se sentaient tristes et humiliés. Le malaise de Chat empira lorsque Milly commença à faire reculer la voiture car le chemin était trop étroit pour faire demi-tour. Et l'odeur de mûres écrasées qui montait du chapeau de Janet n'arrangeait rien.

Milly, Roger et Julia, soulagés de les avoir retrouvés, se mirent à bavarder joyeusement. Entre deux haut-le-cœur, Chat songeait que, même si nul d'entre eux n'en parlait, ils étaient surtout soulagés de les avoir retrouvés avant que Chrestomanci ne se soit douté de leur fugue. Janet avait la même impression, et tous deux en étaient encore plus malheureux.

Cinq minutes plus tard, la voiture s'arrêtait doucement devant la grande porte du château, et le maître d'hôtel venait leur ouvrir, « exactement comme Gwendoline l'aurait voulu », songea Chat avec un pincement au cœur. De plus, le maître d'hôtel débarrassa respectueusement Janet de son chapeau.

– Je crois que ceci est destiné à la cuisine, lui dit-il.

Comme Janet examinait avec anxiété sa robe pleine de taches, Milly la rassura d'un regard bienveillant. Puis elle les conduisit d'un pas vif vers ce qu'on appelait le « petit salon » (ce qui signifiait, bien sûr, qu'il ne mesurait qu'une centaine de mètres carrés).

– Entrez, le thé vous attend.

Ils entrèrent. Au milieu de la grande pièce carrée, une petite femme maigre entortillée dans un châle noir se tenait nerveusement assise sur le bord d'une chaise dorée. Elle sursauta violemment lorsque la porte s'ouvrit.

Chat oublia aussitôt son mal au cœur.

– Madame Sharp ! cria-t-il en courant se jeter dans ses bras.

Mme Sharp semblait très heureuse, bien que tendue.

– Mais c'est mon petit Chat ! Laisse-moi te regarder, et

toi aussi, Gwendoline, ma chérie. Eh bien, vous en portez de beaux vêtements! Tu as pris des joues, Chat. Gwendoline, toi, tu as bien maigri. Ma chérie, je crois que je comprends pourquoi! Regardez-moi ce thé qu'ils nous ont apporté!

Le plateau était effectivement chargé de délicieuses choses. Il était encore plus appétissant que celui qu'on leur avait servi l'autre jour sur la pelouse. Mme Sharp, fidèle à elle-même, se mit à avaler le plus de gâteaux possible, tout en étourdissant Janet et Chat de son bavardage.

– Je suis arrivée hier par le train, avec M. Nostrum. Quand j'ai reçu ta carte, Chat, je n'ai pas pu attendre pour venir vous voir. Après tout, je me devais bien ça, non? Je suis tellement contente que vous soyez si bien installés. En tout cas, ils m'ont royalement traitée quand je suis arrivée. Pour ça, je ne peux pas me plaindre. Mais ce château... Enfin dis-moi, ma petite Gwendoline, est-ce que ce château te fait le même effet qu'à moi?

– Quel effet il vous fait? demanda Janet, prudente.

– Ecoute, dit Mme Sharp en baissant la voix, j'en suis toute retournée. Je me sens faible et, en même temps, je suis dans tous mes états... Et ça me rappelle, Chat, mais je t'en parlerai plus tard. Qu'est-ce que c'est calme ici! Depuis mon arrivée – vous avez été plutôt longs à venir –, je me demande ce qui s'y passe, et je crois que j'ai trouvé. C'est un enchantement, voilà ce que c'est. Un enchantement terriblement puissant contre nous autres sorcières... Je l'ai tout de suite senti : ce château n'aime pas les sorcières. Et j'ai pensé à toi, ma pauvre Gwendoline. Tu devrais demander qu'on t'envoie à l'école ailleurs, loin d'ici. Tu y serais plus heureuse.

Elle parlait sans répit. Elle semblait vraiment ravie de

les voir et couvait Chat de ses regards fiers et affectueux. « Elle a fini par croire qu'elle m'avait élevé depuis ma naissance », songeait Chat. Après tout, elle le connaissait depuis qu'il était tout petit.

— Parlez-nous de Coven Street, dit-il avec des yeux plein d'envie.

— C'est justement ce que j'allais faire, dit Mme Sharp. Vous vous souvenez de Mlle Larkins, cette fille rousse avec un caractère de chien, qui disait la bonne aventure. Personnellement, je n'ai jamais eu beaucoup de considération pour elle. Mais un de ses clients en a, il faut croire. Il l'a installée dans un cabinet sur Bond Street ! Coven Street n'était plus assez bien pour elle ! Il y en a qui ont de la chance ! Tiens, à propos de chance, il m'est arrivé quelque chose de bizarre. Je t'ai raconté dans ma lettre – tu te souviens, Chat – qu'on m'avait donné cinq livres pour ce vieux matou en qui tu avais changé le violon de Chat, Gwendoline… Ah, c'est vraiment un drôle de bonhomme qui est venu l'acheter. Pendant qu'on essayait d'attraper Violon – et vous savez que ce n'est pas facile – il n'arrêtait pas de me raconter des histoires de valeurs boursières, d'investissement de capitaux, et plein d'autres trucs du même genre. Moi, bien sûr, je n'y comprenais rien du tout. Puis il m'a dit ce que je devais faire avec ces cinq livres qu'il me donnait. Je ne savais pas trop quoi en penser, mais je me suis dit que je pouvais toujours faire l'essai. Alors, j'ai fait ce qu'il m'avait dit et figurez-vous que je me suis retrouvée avec cent livres ! Cent livres, c'est incroyable, non ?

— Ce devait être un magicien financier, dit Janet.

Elle avait besoin de plaisanter parce qu'elle ne se sentait pas très à l'aise. Mais Mme Sharp prit l'expression au pied de la lettre :

– C'est exactement ça, ma chérie ! Tu devines toujours tout. Je l'ai compris quand M. Nostrum, à qui j'avais tout raconté, a voulu faire la même chose que moi avec cinq livres. Eh bien, lui, il a tout perdu. Et figurez-vous que…

Chat regardait Mme Sharp parler. Il se sentait déçu et triste. Il l'aimait toujours autant, mais il savait maintenant qu'elle ne leur aurait été d'aucun secours dans leur fuite. Elle était faible et intéressée. Elle les aurait simplement renvoyés au château, et elle aurait demandé de l'argent à Chrestomanci en récompense de ce service. Et les contacts à Londres dont elle était si fière n'étaient que des vantardises. Chat se demandait comment, et pourquoi, il avait pu tellement changer pour comprendre maintenant toutes ces choses. Il savait qu'il ne se trompait pas. C'était comme si Mme Sharp venait elle-même de lui expliquer ses faiblesses, sa mesquinerie. Et Chat en était bouleversé.

Tandis que Mme Sharp finissait de nettoyer l'assiette de gâteaux, elle sembla soudain devenir très nerveuse. Peut-être l'atmosphère du château lui était-elle insupportable. Elle se leva et marcha d'un pas rapide vers l'une des fenêtres, l'air absent et tourmenté. Elle tenait encore sa tasse de thé à la main.

– Venez m'expliquer un peu cette vue, demanda-t-elle. C'est tellement immense que je n'y comprends rien.

Janet et Chat s'exécutèrent docilement. Après quoi, redescendant sur terre, Mme Sharp se trouva tout étonnée de tenir une tasse vide à la main.

– Oh, regardez ! s'exclama-t-elle d'une voix nerveuse. Un peu plus et j'allais l'emporter avec moi !

– Il ne vaudrait mieux pas, dit Chat. Presque toutes les choses ici sont enchantées. Quand on les emporte dehors, elles se mettent à crier qu'elles appartiennent au château de Chrestomanci.

– Ah bon ? fit Mme Sharp, soudain blême.

Elle donna sa tasse à Janet et fouilla fiévreusement dans son sac pour en extirper deux cuillères en argent et une pince à sucre.

– Tiens, ma chérie, dit-elle d'un air faussement dégagé. Tu veux bien remettre ceci sur la table, s'il te plaît ?

Janet obéit. Dès qu'elle se fut suffisamment éloignée, Mme Sharp se pencha à l'oreille de Chat :

– Est-ce que tu as parlé avec M. Nostrum ? chuchota-t-elle.

Chat fit oui de la tête. Mme Sharp eut une réaction étrange :

– Ne fais pas ce qu'il te demande, mon petit, murmura-t-elle d'une voix tremblante. Sous aucun prétexte, tu m'entends ? Son plan est d'une méchanceté terrible ! C'est honteux ce qu'il veut faire. Surtout n'y va pas !

Puis, comme Janet revenait lentement – lentement car elle avait bien vu que Mme Sharp voulait faire une confidence à Chat – elle s'écria d'une voix fausse :

– Ah ! ces chênes majestueux ! Ils doivent être encore plus vieux que moi.

– Ce sont des cèdres... fut tout ce que Chat trouva à dire.

– Eh bien, mes chéris, j'ai été très heureuse de prendre ce thé délicieux avec vous, dit Mme Sharp. Et je suis contente que vous m'ayez avertie au sujet des cuillères. C'est un enchantement bien mesquin d'ailleurs... Enfin, il me semble. Il faut que je parte maintenant, M. Nostrum m'attend.

Et elle partit précipitamment. Il était clair qu'elle avait hâte de quitter le château.

– Tu as vu l'effet que lui fait le château, dit Janet à Chat, tandis qu'ils regardaient la maigre silhouette de

Mme Sharp s'éloigner en trottinant. Bien sûr, c'est très calme, je vois ce qu'elle veut dire. Mais moi, je trouve ça plutôt agréable. Enfin ça serait agréable si on n'avait pas autant d'ennuis. En tout cas, Chat, je crois que ça aurait été une erreur d'aller chez elle.

– Je sais, reconnut Chat.

– Oui, je pensais bien que tu l'avais compris toi aussi, dit Janet.

Elle allait ajouter quelque chose, mais elle fut interrompue par Julia et Roger qui venaient d'entrer. Julia était si aimable et faisait de tels efforts pour se montrer amicale que Janet et Chat n'eurent pas le cœur de s'éloigner pour pouvoir parler tranquillement. Ils jouèrent au miroir volant tous ensemble. Roger en avait rapporté un de chaque chambre. Julia fit un petit nœud bien serré au coin de son fameux mouchoir, et les quatre miroirs s'élevèrent en même temps dans la salle de jeux. Ils s'amusèrent comme des fous à faire des loopings jusqu'à l'heure du dîner.

Ce soir-là, ils dînèrent dans la salle de jeux, car on recevait des invités dans la salle à manger. Julia et Roger le savaient depuis longtemps mais ils n'en avaient pas parlé à Janet et Chat, de peur que Gwendoline ne fasse encore des siennes.

– Nos parents reçoivent beaucoup à cette période de l'année, dit Julia tandis qu'ils finissaient la tarte aux mûres confectionnée avec les fruits que Chat et Janet avaient ramassés. Qu'est-ce qu'on fait maintenant ? On joue aux soldats, ou on rejoue aux miroirs ?

Janet faisait depuis longtemps des signes tellement désespérés à Chat qu'il fut contraint de dire :

– Je suis vraiment désolé, mais il faut qu'on parle au sujet de quelque chose que nous a dit Mme Sharp. N'en veuillez pas à Gwendoline, ce n'est pas du tout ce que vous pouvez penser.

– On te pardonne, dit gentiment Roger. Et peut-être qu'on finira par pardonner à Gwendoline aussi.

– On revient dès qu'on a fini, promit Janet.

Ils coururent à sa chambre, et Janet ferma prudemment la porte à clé.

– Mme Sharp a dit que je ne devais surtout pas faire ce que M. Nostrum me demandait, expliqua Chat. Et je pense qu'elle est venue au château exprès pour ça.

– Oui, elle t'aime beaucoup, ça se voit, dit Janet. Oh ! nom de nom !

Elle se mit à faire les cent pas dans la chambre, les mains derrière le dos, la tête penchée en avant. Chat trouvait qu'elle ressemblait exactement à M. Saunders pendant ses cours et il ne put s'empêcher de rire.

– Zut ! fit Janet. Zut, zut et zut !

Elle fit quelques pas de plus.

– Mme Sharp est quelqu'un de très malhonnête, presque aussi malhonnête que M. Nostrum, et sans doute bien plus que M. Bistro. C'est donc très inquiétant qu'elle t'ait dit ça. Qu'est-ce qui te fait rire ?

– Tu n'es jamais capable de dire le nom exact de M. Baslam, dit Chat.

Janet haussa les épaules :

– De toute façon, il ne le mérite pas. Oh, mais c'est qu'elle nous complique la vie, ta Mme Sharp ! Quand je me suis rendu compte qu'elle ne pourrait absolument pas nous aider, je me suis dit que finalement la solution idéale serait peut-être de… Et crac ! Elle a tout démoli. Tu vois, si ce jardin est le moyen de se rendre dans un autre monde, on pourrait revenir dans le mien, et tu vivrais avec moi. Qu'en penses-tu ? Tu serais à l'abri de Chrestomanci, de M. Balamb, et je ne pense pas que Will Suggins pourrait te changer en grenouille. Alors ?

– Oui, fit Chat, hésitant. Mais, à mon avis, il y avait pas mal de mensonges dans ce que M. Nostrum nous a dit.

– Oh, je sais ! dit Janet. Et sûrement un peu de vérité dans ce qu'a dit Mme Sharp. En plus, ce ne serait pas si facile de faire comprendre tout ça à mes parents, mais je suis sûre qu'ils finiraient par t'aimer beaucoup. En tout cas, ils doivent en voir des vertes et des pas mûres avec ma chère remplaçante. Sais-tu que j'ai eu un frère qui est mort à la naissance ? Alors mes parents croiraient peut-être que tu es son cher remplaçant.

– Tiens, c'est drôle ! dit Chat. J'ai failli mourir, moi aussi, quand je suis né !

– Alors c'est sûrement possible, dit Janet, tout en continuant à faire les cent pas. Ils seraient très heureux – enfin, j'espère. Mais le meilleur là-dedans, ce serait que Gwendoline se retrouve ici avec tous les problèmes. Ah, ça ne lui ferait pas de mal ! Quand je pense que tout ça, c'est à cause d'elle !

– Ce n'est pas vrai, dit Chat.

– Si, répliqua Janet. Elle a fait de la magie alors qu'elle n'en avait pas le droit, et elle a donné à M. Blastoff des boucles d'oreilles qui ne valaient rien en échange de quelque chose qu'elle n'aurait jamais dû avoir. En plus, elle m'a fait atterrir ici sans me demander mon avis, elle a changé Euphémie en grenouille et t'a mis dans un pétrin encore pire que le mien. Essaie donc d'être lucide deux minutes !

– Ça ne sert à rien de se mettre en colère, rétorqua Chat.

Et il soupira : Gwendoline lui manquait encore plus que Mme Sharp ne lui avait manqué.

Janet poussa également un long soupir, mais d'exaspération. Elle s'assit brusquement à la coiffeuse et lança au miroir un regard mauvais, avant de faire une grimace, la plus laide possible. Elle faisait toujours ça lorsqu'elle était en colère contre Gwendoline – donc, relativement souvent. Elle s'imaginait que Gwendoline pouvait la voir et ça la soulageait un peu.

Pendant ce temps, Chat réfléchissait.

– Je pense que ton idée est bonne, admit-il sans enthousiasme. On devrait peut-être aller dans le jardin. Mais, à mon avis, il doit falloir un peu de sorcellerie pour aller dans un autre monde.

– Alors on est fichus, dit Janet. De toute façon, c'était

dangereux. Mais il y a un truc que je n'arrive pas à comprendre, c'est comment Gwendoline a fait pour partir, alors qu'ils lui avaient enlevé ses pouvoirs.

– Je pense qu'elle s'est servie du sang de dragon, dit Chat. Elle en avait encore un peu. M. Saunders a un grand bocal plein de sang de dragon dans son atelier.

– Mais pourquoi tu ne l'as pas dit plus tôt ? s'écria Janet, en sautant sur sa chaise.

Elle aurait vraiment pu être Gwendoline. Chat regardait son petit visage dur, son air décidé, et songeait que Gwendoline lui manquait de plus en plus. Il en voulait à Janet. Elle avait passé la journée à lui donner des ordres, et en plus elle accusait Gwendoline. Il haussa les épaules et dit d'un ton un peu agressif :

– Tu ne me l'as jamais demandé.

– Est-ce que tu pourrais aller en chercher ?

– Peut-être, ajouta Chat, mais je crois que je n'ai pas tellement envie d'aller dans un autre monde.

Janet prit une longue inspiration et fit de gros efforts pour se calmer et ne pas lancer à Chat que s'il préférait être changé en grenouille, après tout, c'était son affaire. Elle se défoula en faisant une nouvelle grimace, tout à fait saisissante, puis elle compta jusqu'à dix avant de dire d'une voix grave :

– Chat, on a tellement d'ennuis que ça me semble la seule solution. Sincèrement, tu n'es pas de mon avis ?

– Si, admit Chat de mauvaise grâce. Je t'ai dit que j'irai.

– Et merci, ma très chère Janet, pour ta si gentille invitation ! ajouta Janet avec emphase.

A son soulagement, Chat daigna sourire.

– Mais il va falloir être très prudents, parce que, si Chrestomanci ne sait toujours pas ce qu'on fait, Milly, elle, est au courant de tout.

– Milly ?

– Oui, Milly, insista Janet. Je pense que c'est une sorcière.

Elle pencha la tête en avant et se brossa énergiquement les cheveux.

– Je sais. Tu penses que je vois des sorcières, des enchanteurs et des magiciens partout, que j'accuse tout le monde à tort et à travers. Mais si je te le dis, c'est que j'en suis sûre, Chat. Oh ! c'est une sorcière très gentille, mais une sorcière tout de même. Comment aurait-elle pu savoir qu'on voulait s'enfuir cet après-midi ?

– Mais parce que Mme Sharp est arrivée, alors ils nous ont cherchés partout, dit Chat, un peu déconcerté.

— Mais on n'est partis qu'une heure. On aurait très bien pu aller simplement chercher des mûres ! On n'avait rien emporté du tout, expliqua Janet. Tu vois, maintenant ?

Bien que Chat fût persuadé que Janet était obsédée par les sorciers, et qu'il eût une furieuse envie de la contredire, il dut admettre qu'elle avait raison.

– Une sorcière très gentille, d'accord, concéda-t-il.

– Tu ne vois donc pas le problème qu'elle nous pose ? dit Janet. Tu sais, ce n'est pas Chat qu'on devrait t'appeler, mais Mule ! Quand tu as décidé de ne pas comprendre quelque chose, alors… Au fait, pourquoi t'a-t-on surnommé Chat ?

– Oh, c'est à cause d'une plaisanterie de Gwendoline, dit Chat. Elle a toujours dit que j'avais neuf vies.

– Parce que Gwendoline faisait des plaisanteries ? demanda Janet, incrédule.

Elle resta un moment interdite, puis se détourna brusquement du miroir.

– Enfin, pas très souvent, ajouta Chat.

– Mon Dieu! s'écria Janet. Dans ce lieu où tout est ensorcelé, c'est certainement... Mais alors, quelle horreur!

Elle fit basculer le miroir de la coiffeuse vers le plafond, bondit de sa chaise et courut à l'armoire. Elle en sortit la boîte de Gwendoline et se mit à y fouiller nerveusement.

– Oh, pourvu que je me trompe! Mais il me semble bien qu'il y en avait neuf!

– Neuf quoi? demanda Chat, ahuri.

Janet sortit de la boîte le paquet de lettres adressées à Caroline Arcand, puis elle en extirpa délicatement la petite pochette d'allumettes rouges et remit les lettres à leur place.

– Neuf allumettes, dit-elle en ouvrant la pochette. Elles y sont. Oh! mon Dieu, il y en a cinq de brûlées! Regarde, Chat!

Elle lui tendit la pochette. Chat constata qu'il y avait bien neuf allumettes à l'intérieur. Les extrémités des deux premières étaient noires. La troisième était complètement brûlée. La quatrième avait juste le bout noirci. Mais la cinquième avait brûlé entièrement et si fort que le carton dessous en était carbonisé, et même percé à un endroit. On se demandait comment toute la pochette n'avait pas pris feu, ou au moins les quatre allumettes restantes. Cependant, elles étaient toutes neuves, avec leur tête bien rouge, au bout d'une languette de carton intact.

– C'est vrai. Il y a peut-être un envoûtement là-dedans, dit Chat.

– J'en suis sûre, affirma gravement Janet. Ce sont tes neuf vies. Comment as-tu fait pour en perdre autant?

Chat ne la croyait pas. Il trouvait que Janet dépassait les limites.

– Tu dis n'importe quoi, répliqua-t-il.

Même s'il avait neuf vies, il savait qu'il ne pouvait en avoir perdu que trois, en comptant comme une vie perdue les crampes que Gwendoline lui avait données. Les deux autres étant celle qu'il avait perdue à la naissance et celle qu'il avait perdue lors du naufrage du vapeur. Mais, tandis qu'il réfléchissait à tout ça, Chat se souvint brusquement des quatre apparitions sorties des flammes quand Gwendoline avait réalisé sa procession macabre. L'une d'elles était un bébé, la deuxième semblait mouillée ; la troisième, toute recroquevillée, aurait pu avoir des crampes. Mais pourquoi y avait-il eu quatre apparitions, et cinq allumettes brûlées ? Chat frissonna, et cela lui donna encore plus envie de prouver à Janet qu'elle avait tort.

– Tu n'aurais pas pu mourir une fois ou deux comme ça, dans la nuit, sans t'en apercevoir ? demanda Janet.

– Bien sûr que non !

Chat se baissa pour prendre la pochette.

– Regarde, je vais te le prouver.

Il arracha la sixième allumette et la frotta d'un geste décidé.

– Non ! hurla Janet.

Mais l'allumette prit feu. Et Chat aussi. Presque en même temps.

Chapitre quatorze

Chat poussa un long cri ; tout son corps s'était mis à brûler. Il cria encore et se frappa avec ses mains enflammées.
Les flammes étaient pâles, presque transparentes ; elles
s'échappaient en tremblant de ses vêtements, de ses souliers, des ses cheveux, de son visage si bien qu'en quelques
secondes elles enveloppèrent Chat de la tête aux pieds.
Criant toujours, il tomba sur le sol.

Janet réussit à garder son sang-froid. Elle tira vers elle
l'un des bords du tapis et le jeta sur Chat, pensant ainsi
étouffer les flammes. Mais ces flammes-là ne s'étouffaient
pas. Au grand effroi de Janet, elles traversaient le tapis
comme s'il n'existait pas et s'élevaient en dansant, de plus
en plus haut. Elles ne le brûlaient pas, cependant, pas plus
qu'elles ne brûlaient les mains de Janet, tandis qu'elle roulait désespérément Chat dans le tapis. La tête de Chat
dépassait à moitié du paquet de flammes que Janet avait
fait de lui, et ce n'était qu'une gerbe de feu à travers
laquelle Janet pouvait voir son visage déformé, grimaçant.

217

Janet fit alors la seule chose à laquelle elle pouvait penser : elle sauta sur ses pieds et se mit à hurler :

– Chrestomanci, Chrestomanci ! Venez vite !

La porte s'ouvrit brutalement tandis qu'elle hurlait encore. Janet avait oublié qu'elle l'avait verrouillée, mais cela ne gêna pas Chrestomanci qui fit sauter le loquet en entrant. Elle avait également oublié qu'il y avait des invités. Elle se le rappela en voyant le jabot en dentelle de Chrestomanci et son costume de velours noir qui se teintait d'opale, de bleu, de vert, de pourpre et de jaune en reflétant la lumière. Mais cela ne sembla pas gêner Chrestomanci non plus. Il vit la masse de flammes sur le sol et dit :

– Grand Dieu !

Il s'agenouilla aussitôt et déroula le tapis avec autant d'ardeur que Janet avait mise pour le rouler.

– Je suis désolée, balbutia Janet. Je pensais que ça étoufferait le feu !

– Cela aurait dû, dit Chrestomanci en libérant Chat du tapis tandis que des flammes transparentes couraient le long de ses manches de velours.

– Comment a-t-il fait ça ?

– Il a craqué une des allumettes. Je lui ai dit…

– Petite idiote !

Chrestomanci était tellement en colère que Janet fondit en larmes. Chat brûlait toujours comme une botte de paille. Il ne criait plus. Plus vraiment. Il émettait une sorte de longue plainte, mais si aiguë que Janet dut se boucher les oreilles. Chrestomanci plongea la main au cœur des flammes et sortit la petite pochette d'allumettes. Chat la tenait serrée dans son poing droit.

– Dieu merci, il ne l'avait pas dans la main gauche ! dit Chrestomanci. Va vite faire couler ta douche !

– Tout de suite !

Janet se précipita dans la salle de bains en ravalant ses sanglots. Elle mania maladroitement les robinets mais obtint un puissant jet d'eau froide juste au moment où Chrestomanci arrivait avec Chat dans ses bras, dans un halo de flammes. Il plongea Chat dans la baignoire et le tourna d'un côté et de l'autre pour qu'il fût complètement mouillé.

Chat sifflait, chuintait et dégageait des nuages de vapeur. L'eau qui sortait du pommeau brillait comme si elle avait été éclairée par le soleil. Aveuglante, elle descendait sur Chat tel un jet de lumière. Et, à mesure que la baignoire se remplissait, on aurait dit que Chat était plongé dans un bain de soleil. Il était entièrement recouvert de bulles scintillantes. La pièce s'emplissait de vapeur. Des spirales de fumée montaient de la baignoire, avec une odeur puissante mais douce, la même odeur que Janet avait sentie le matin où elle s'était réveillée dans le château. Elle ne voyait pas grand-chose à travers la vapeur, mais il lui sembla que Chat devenait tout noir dans son bain de lumière. Chrestomanci, lui, était trempé.

– Tu ne comprends donc rien ? dit-il à Janet par-dessus son épaule, tout en maintenant la tête de Chat sous la douche. Il ne faut pas lui dire des choses pareilles avant qu'il ne soit vraiment sous l'influence du château. Il n'était pas prêt à comprendre. Tu viens de lui causer le choc le plus effroyable.

– Je suis vraiment désolée… bégaya Janet entre deux sanglots.

– Enfin, il faut en prendre son parti, dit Chrestomanci. Je vais essayer de lui expliquer. File au tube acoustique dans le couloir et demande-leur de m'envoyer du brandy et un pot de thé bien fort.

Janet s'élança vers la porte. Chat commençait à sentir l'eau qui dégoulinait sur lui et il voulut s'en écarter. Mais quelqu'un le tenait d'une main ferme sous la douche, et une voix répétait à son oreille :

– Chat, Chat, écoute-moi ! Tu comprends, Chat ? Il ne te reste plus que trois vies à présent.

Chat connaissait cette voix.

– Vous m'avez dit que j'en avais cinq quand vous m'avez parlé à travers Mlle Larkins, grommela-t-il.

– Oui, mais tu n'en as plus que trois maintenant. Il te faudra être plus prudent, dit Chrestomanci.

Chat ouvrit les yeux et le regarda. Chrestomanci ruisselait. Ses cheveux, d'ordinaire plaqués avec soin, pendaient sur son visage.

– Oh, c'était vous ? dit Chat.

– Oui. Cela t'a pris beaucoup de temps pour me reconnaître, n'est-ce-pas ? dit Chrestomanci. Mais moi non plus je ne te connaissais pas vraiment lorsque je t'ai vu. Je crois que tu peux sortir de l'eau maintenant.

Chat était trop faible pour sortir de la baignoire tout seul. Chrestomanci le souleva, lui ôta ses vêtements mouillés, le sécha, puis l'enveloppa dans une autre serviette en moins de temps qu'il n'en faut pour le dire. Les jambes de Chat tremblaient encore.

– Viens, dit Chrestomanci.

Et il le porta jusqu'au lit de velours bleu où il le coucha.

– Ça va mieux, Chat ?

Chat était allongé, sans forces, mais il se sentait à l'aise. Il hocha doucement la tête.

– Oui, merci. Vous ne m'avez jamais appelé Chat, avant.

– Peut-être aurais-je dû. Cela aurait pu te permettre de comprendre.

Chrestomanci était assis sur le lit et regardait Chat d'un air grave.

– Est-ce que tu comprends, enfin ?

– La pochette d'allumettes, c'étaient mes neuf vies ! dit Chat. Et je viens d'en brûler une. Je sais que c'était stupide, mais c'est parce que je n'y croyais pas. Comment est-ce que je peux avoir neuf vies ?

– Tu en as trois, dit Chrestomanci. Mets-toi ça dans la tête. Tu en avais neuf. Quelqu'un, par quelque moyen, les a mises dans cette pochette d'allumettes que je vais maintenant placer dans un endroit secret, protégé par les enchantements les plus puissants que je connaisse. Mais cela empêchera seulement les gens de les utiliser. Cela ne pourra pas t'empêcher de les perdre toi-même.

Janet entra en courant, toujours en larmes mais heureuse d'avoir pu se rendre utile.

– Ça arrive, dit-elle.

– Merci, dit Chrestomanci, et il la regarda longuement, l'air pensif.

Janet était certaine qu'il allait l'accuser de ne pas être Gwendoline, mais il dit simplement :

– Toi aussi tu ferais bien de m'écouter, afin d'éviter de tels accidents.

– Est-ce que je peux d'abord vous apporter une serviette ? demanda Janet humblement. Vous êtes tout mouillé.

– Je sécherai tout seul, merci, lui répondit-il en souriant. Maintenant écoutez. Les gens qui possèdent neuf vies sont très importants et très rares. Cela arrive seulement lorsque, pour une raison ou pour une autre, une personne n'a d'homologue dans aucun des autres mondes. Alors les vies qui auraient dû être éparpillées dans toute une série de mondes sont concentrées sur une seule personne. Et il en est de même pour tous les dons que ces neuf personnes auraient dû se partager.

– Mais moi, je n'ai aucun don, objecta Chat.

– Comment ça, rares ? demanda Janet.

– Extrêmement rares, dit Chrestomanci. A part Chat, la seule personne dans ce monde qui, à ma connaissance, ait neuf vies, c'est moi-même.

– Vraiment ? s'étonna Chat, heureux et très intéressé. Neuf ?

– J'en avais neuf. Il ne m'en reste que deux. J'ai été encore moins prudent que Chat, dit-il avec un air presque honteux. Dorénavant je dois faire attention à garder chaque vie séparément dans le lieu le plus sûr que je puisse trouver. Et je conseille à Chat de faire de même.

L'esprit vif de Janet fonctionnait avec ardeur :

– Est-ce que l'une est ici, et la seconde en bas en train de dîner ?

Chrestomanci rit de bon cœur.

– Non, ça ne marche pas comme ça… Je…

Au grand regret de Janet, Euphémie entra avec un plateau, stoppant Chrestomanci dans ses explications. M. Saunders la suivait de près. Visiblement, il n'avait pas encore réussi à trouver des vêtements à sa taille.

– Est-ce qu'il va bien ? demanda Euphémie, anxieuse. Mon Will avait proféré des menaces contre lui, mais si c'est de sa faute je ne lui parlerai plus jamais… Mais qu'est-il arrivé à ce tapis ?

Perplexe, M. Saunders examinait également le tapis. Il était complètement froissé, en un amas de plis rigides.

– Qui a fait ça ? demanda-t-il. Il y avait suffisamment de charmes dans ce tapis pour empêcher n'importe quel accident.

– Je sais, dit Chrestomanci. Mais ce qui est arrivé a dégagé une puissance phénoménale.

Ils se regardèrent en silence, d'un air entendu. Tout le monde s'affairait autour de Chat et il en était très content. M. Saunders le cala contre deux gros oreillers ; Euphémie lui passa un pyjama et lui caressa gentiment la tête, comme s'il n'avait jamais avoué qu'il l'avait transformée en grenouille.

– Ce n'était pas Will, lui dit Chat. C'était moi.

Chrestomanci lui fit avaler une bonne dose de brandy, puis lui donna une tasse de thé bien sucré. Janet eut droit à une tasse, elle aussi, et elle commença à se sentir un peu mieux. M. Saunders aida Euphémie à détendre le tapis et demanda s'il devait renforcer les charmes qui s'y trouvaient.

– Ce serait peut-être faisable avec du sang de dragon, suggéra-t-il.

– Franchement, je crois que ce n'est pas possible, dit Chrestomanci. Laisse-le.

Il se leva et remit le miroir de la coiffeuse droit.

– Cela t'ennuierait-il de dormir dans la chambre du dessus ? demanda-t-il à Janet. Je veux pouvoir garder un œil sur Chat cette nuit.

Janet regarda le miroir, puis Chrestomanci, et rougit violemment.

– Euh… dit-elle, j'ai fait des grimaces dans ce miroir…

Chrestomanci éclata de rire. M. Saunders, lui, fut obligé de s'asseoir pour s'esclaffer à son aise.

– Je suppose que je les avais méritées ! dit gaiement Chrestomanci. En tout cas, certaines étaient d'une grande originalité !

Janet eut un petit rire bête.

Chat se sentait au chaud et en sécurité, presque heureux. Pendant un moment, ils restèrent auprès de lui pour s'assurer qu'il allait bien. Chat sommeillait un peu. Il s'aperçut bientôt qu'il était de nouveau seul avec Janet, qui le saoulait de paroles.

– Je suis tellement contente que tu n'aies rien, disait-elle. Pourquoi a-t-il fallu que j'ouvre ma grande bouche au sujet de ces allumettes ? Tu ne peux pas savoir la frousse que j'ai eue quand je t'ai vu prendre feu ! Et le tapis qui ne servait à rien ! Alors je n'ai pensé qu'à une chose : appeler Chrestomanci. Et j'ai eu raison. J'avais à peine ouvert la bouche qu'il est arrivé, bien que la porte fût verrouillée. Elle l'était toujours quand il est entré mais le verrou n'est même pas cassé, parce que je l'ai essayé après. Donc c'est un enchanteur. Et tu as vu ? Il a fichu en l'air un de ses costumes pour toi. Et ça n'avait même pas l'air de l'embêter. Alors tu vois, Chat, je pense que quand il ne joue pas la banquise de l'Alaska c'est quelqu'un de gentil, de très sympathique même. Je ne dis pas ça seulement au sujet du miroir, je le pense vraiment. En fait, ce miroir, c'est un peu l'équivalent magique de…

Chat s'apprêtait à dire quelque chose sur la banquise de l'Alaska mais il n'en eut pas la force. Le bavardage de Janet le berçait et il se laissa douillettement glisser dans un sommeil paisible.

Le lendemain matin, il se réveilla inquiet et frissonnant. Cet après-midi-là, il serait changé en grenouille ou devrait affronter un tigre… et Will Suggins ferait sans doute un fameux tigre, songea-t-il. Après le tigre – s'il y avait un après – s'annonçaient les redoutables cours de magie sans magie. Là, Julia et Roger pourraient peut-être l'aider, mais, de toute façon, M. Baslam viendrait le mercredi réclamer ses vingt livres, somme que Chat ne pouvait attendre ni de Mme Sharp ni de M. Nostrum… La seule chance qui restait était de prendre un peu de sang de dragon, d'aller avec Janet dans le jardin interdit et d'essayer de s'enfuir.

Chat se leva pour aller chercher du sang de dragon dans l'atelier de M. Saunders. Mais Euphémie entra au même moment avec un plateau, et il dut se recoucher. Euphémie se montra tout aussi gentille que la veille. Chat ne se sentait pas bien du tout. Lorsqu'il eut fini son petit déjeuner, Milly entra. Elle vint se pencher sur Chat et l'embrassa affectueusement.

– Mon pauvre chéri, tu en as fais des bêtises ! Remercions le ciel que tu ailles bien. J'étais malade de ne pouvoir venir te voir hier, mais il fallait bien que quelqu'un reste auprès de nos pauvres invités. Tu vas rester au lit toute la journée, cela vaut mieux. Et demande absolument tout ce que tu veux. Qu'est-ce qui te ferait plaisir ?

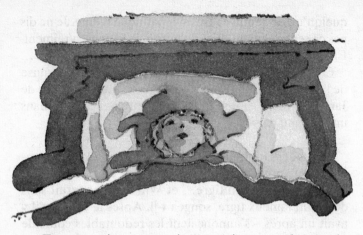

– Est-ce que je ne pourrais pas avoir un peu de sang de dragon ? demanda Chat, plein d'espoir.

Milly ne put s'empêcher de rire :

– Grand Dieu, Eric ! Tu as eu un terrible accident et juste après tu demandes la chose la plus dangereuse au monde. Non, tu ne peux pas avoir de sang de dragon. C'est l'une des rares choses dans le château qui soient strictement défendues.

– Comme le jardin de Chrestomanci ? demanda Chat.

– Pas exactement, dit Milly. Ce jardin est aussi vieux que les collines et empli de forces magiques de toutes sortes. Il est dangereux, mais d'une autre manière. Tout y est plus puissant. Nous te montrerons ce jardin quand tu en sauras assez en magie pour comprendre ce qui s'y passe. Mais le sang de dragon est si puissant, si dangereux que je ne me sens jamais tranquille même lorsque c'est Michael qui en utilise. Alors il n'est pas question que tu y touches.

A cet instant, Julia et Roger entrèrent à leur tour, habillés pour l'église, les bras chargés de livres et de jouets et la tête pleine de questions qu'ils voulaient poser à Chat. Ils étaient si gentils que Chat se sentit contrarié lorsque Janet arriva, quelques minutes plus tard. Il n'avait pas envie de quitter le château. Il s'y sentait de plus en plus à l'aise.

– Le morceau de pâte est toujours accroché à ton tapis, dit Janet, maussade.

A ces mots, Chat fut un peu moins à l'aise.

– Je viens de croiser Chrestomanci, et j'en ai assez d'être punie pour des fautes que quelqu'un d'autre a commises, poursuivit Janet. Même par une personne vêtue d'une robe de chambre bleu ciel, brodée de lions en or.

– Tiens, je ne l'ai pas vue celle-là, dit Chat.

– J'ai l'impression qu'il en a une pour chaque jour de la semaine, dit Janet. Il ne lui manquait qu'une épée flamboyante. Il m'a interdit d'aller à l'église. Le prêtre ne veut plus me voir à cause de ce que Gwendoline a fait dimanche dernier. Ça m'a tellement énervée d'être grondée à sa place que j'ai failli lui dire que je n'étais pas Gwendoline, mais je me suis rappelé que si j'allais à l'église, il faudrait que je porte ce ridicule petit chapeau blanc avec des trous... Est-ce que tu crois qu'il peut entendre à travers ce miroir ?

– Non, dit Chat. Il saurait déjà tout, autrement. C'est bien que tu restes ici. On pourra aller chercher le sang de dragon pendant qu'ils seront à l'église.

Janet se posta près de la fenêtre, pour guetter le départ de la famille. Au bout d'une demi-heure, elle annonça :

– Ah, ils sortent enfin. Quelle foule ! Tous les hommes portent des hauts-de-forme. Et on dirait que Chrestomanci sort tout droit de la vitrine d'un magasin chic. Qui sont tous ces gens ? La vieille dame qui porte toujours des gants, et la jeune en vert, et le petit homme qui n'arrête pas de parler ?

– Aucune idée, répondit Chat.

Il sauta du lit et courut dans sa chambre chercher des vêtements. Il se sentait très bien, en pleine forme même. Il dansait en enfilant son pull et chantait en mettant son pantalon. La vue du petit tas de pâte froide sur le tapis ne l'empêcha même pas de siffler en laçant ses souliers.

– Eh bien ! lança Janet qui venait d'entrer et le considérait d'un air perplexe.

Il la bouscula joyeusement pour se ruer dans le petit escalier.

– Ça te réussit de mourir, on dirait !

– Dépêche-toi ! cria Chat du bas de l'escalier. L'atelier de Michael est à l'autre bout du château. Milly a dit que le sang de dragon, c'était très dangereux. Alors il ne faut pas que tu y touches. Moi je peux encore me permettre de dépenser une vie, mais pas toi.

Janet allait lui faire remarquer qu'il riait moins hier soir lorsqu'il en avait brûlé une, mais il était déjà loin. Chat volait à travers les couloirs. En un clin d'œil, il se retrouva dans l'atelier de M. Saunders. Janet le rejoignit enfin, complètement essoufflée, mais elle oublia ce qu'elle venait de penser, fascinée par tout ce qu'il y avait dans la pièce.

L'air dans l'atelier était très lourd. Plusieurs séances de magie intenses devaient y avoir eu lieu, depuis la dernière fois que M. Saunders l'avait aéré. Toutefois, il constata que M. Saunders avait fait un brin de ménage – peut-être parce que c'était dimanche. La cardamome était suspendue au mur, les tubes, alambics et autres récipients avaient été nettoyés. Les livres et les parchemins étaient soigneusement empilés sur l'une des tables. L'étoile à cinq branches était toujours à sa place au milieu du sol, mais il y avait de nouveaux signes tracés sur la troisième table et l'animal momifié était posé à l'une des extrémités.

Janet ouvrait de grands yeux.

– C'est exactement comme un laboratoire, dit-elle. Sauf que ce n'en est pas un. Quelles horribles choses ! Oh, je vois le sang de dragon ! Tu crois vraiment qu'il se sert d'une telle quantité ? En tout cas, il ne risque pas de s'apercevoir qu'on en a pris.

Quelque chose bougea, avec un froissement, sur le bord de la troisième table. Janet sursauta. La créature momifiée était parcourue de frémissements et ses petites ailes transparentes se déplièrent.

– Ça l'a déjà fait une fois, dit Chat. Je crois qu'il n'y a pas de quoi s'inquiéter.

Mais il n'en était plus si sûr lorsque l'animal commença à étirer ses pattes griffues, puis à bâiller longuement, découvrant plusieurs douzaines de petites dents pointues. Un nuage de fumée bleue s'échappa de sa gueule ouverte. La créature se redressa alors et se mit à sautiller sur la table en direction de Janet et Chat. Ses petites ailes cliquetaient dans son dos, et des petits jets de fumée sortaient régulièrement de ses narines. La créature s'arrêta sur le bord de la table et se mit à les contempler de ses deux petits yeux dorés avec un air inquisiteur. Chat et Janet reculèrent nerveusement.

– Tu as vu ? Il est vivant, chuchota Janet.

– Je crois que c'est un petit dragon.

– Mais évidemment, dit le dragon, ce qui fit sursauter violemment Janet et Chat.

Ils étaient d'autant plus inquiets que des flammes étaient sorties de sa gueule et, bien qu'elles fussent minuscules, ils en avaient senti la chaleur de l'endroit où ils étaient.

– Je ne savais pas que vous pouviez parler, réussit à dire Chat.

– Oh, je parle couramment, répondit le dragon dans un jet de petites flammes. Pourquoi voulez-vous mon sang ?

Janet et Chat regardèrent le grand bocal d'un air coupable.

– Tout ça c'est votre sang ? demanda Chat.

– Si M. Saunders le garde pour lui prendre régulièrement du sang, je trouve ça très cruel, dit Janet.

– Oh ça ? fit le dragon. C'est de la poudre de sang de vieux dragon. Ça se vend. Vous ne pouvez pas en prendre.

– Pourquoi ? demanda Chat.

– Parce que je ne veux pas, dit le dragon.

Janet et Chat sentaient de plus en plus la chaleur de ses flammes et ils reculèrent encore d'un pas.

– Ça vous plairait, à vous, que je prenne du sang humain pour m'amuser avec ?

Chat trouvait que le dragon avait raison. Mais Janet n'était pas de cet avis.

– Ça ne me ferait rien, dit-elle. Là d'où je viens, on fait des transfusions de sang. Un jour, papa m'a montré une goutte du mien au microscope.

– Moi, ça ne me plaît pas, répliqua le dragon dans un nouveau jet de feu. Ma mère a été tuée par des voleurs de sang qui ne respectaient pas la loi, des trafiquants.

Il se pencha un peu au bord de la table et leva les yeux vers Janet. Vus de près, ses yeux scintillants faisaient penser à deux petits kaléidoscopes dorés.

– J'était trop jeune pour donner assez de sang, dit doucement le dragon en fixant Janet. Alors ils m'ont laissé. Je serais mort si Chrestomanci ne m'avait pas trouvé. Vous comprenez maintenant ?

– Oui, dit Janet. Avec quoi nourrit-on un bébé dragon ? Avec du lait ?

– Michael a essayé de me donner du lait mais je n'aimais pas ça. Je mange du steak haché. Ça me réussit beaucoup. Quand je serai assez grand, il me ramènera chez moi. Mais, en attendant, je lui donne des coups de main pour sa magie. Je suis d'une aide précieuse.

– Ah bon ? dit Janet. Que faites-vous ?

– Je lui rapporte des choses qu'il ne pourrait pas trouver tout seul, chantonna le dragon. Je vais chercher pour lui des créatures des abysses, des monstres aux yeux de perle qui vivent au plus profond des océans, les créatures oubliées et les plantes qui murmurent.

Il s'arrêta net et regarda Janet en hochant la tête, puis il se tourna vers Chat :

– Hé, hé ! Pour moi c'est facile. Il y a longtemps que

231

j'avais envie de faire ça mais on m'en a toujours empêché.

Il poussa un long soupir de fumée bleue.

– Ah, si seulement j'étais plus grand, je pourrais la manger maintenant.

Affolé, Chat se tourna vers Janet. Elle fixait le dragon comme une somnanbule, avec un sourire stupide sur les lèvres.

– Ça alors, s'exclama-t-il.

– Oh, je vais juste en grignoter un petit morceau ! dit le dragon.

Chat comprit qu'il voulait jouer.

– Je te tordrai le cou si tu le fais, dit-il. Tu ne peux pas t'amuser avec autre chose ?

– Oh, on dirait Michael, dit le dragon d'un ton boudeur et il laissa échapper un rond de fumée. Comme je m'ennuie !

– Tu n'as qu'à lui demander de t'emmener en promenade.

Chat saisit Janet par le bras et la secoua jusqu'à ce qu'elle reprenne ses esprits. Elle ne s'était rendu compte de rien.

– Je suis désolé, mais j'ai absolument besoin de sang de dragon, ajouta Chat.

Il tira prudemment Janet à l'autre bout de la pièce et prit un petit creuset de porcelaine sur l'une des tables.

Le dragon se gratta furieusement sous le menton comme l'eût fait un chien et battit des ailes d'un air irrité :

– Michael dit que le sang de dragon fait toujours du mal quelque part. Même si c'est un initié qui l'utilise. Si l'on ne fait pas attention, ça peut coûter une vie.

Chat et Janet se regardèrent en silence à travers la fumée.

– De toute façon, je peux encore en perdre, dit Chat.

Il souleva le gros couvercle de verre et prit un peu de poudre brune avec le creuset. Elle dégageait une odeur étrange et puissante.

– Chrestomanci a l'air de se débrouiller avec deux vies, dit Janet, sans toutefois parvenir à masquer sa nervosité.

– Oui, mais ce n'est pas n'importe qui, fit remarquer le dragon.

Il suivait avec des yeux anxieux chacun des gestes de Chat. Chat enveloppa avec précaution la coupelle dans son mouchoir et la fit doucement glisser dans sa poche. Le dragon avait l'air si inquiet que Chat vint vers lui, et le caressa – d'une main crispée – gentiment sous le menton. Le dragon tendit son cou et le frotta contre la main de Chat. De la fumée sortit en ronflant de ses narines.

– Ne t'inquiète pas, il me reste encore trois vies, tu sais.

– Je comprends maintenant pourquoi tu me plais, dit le dragon en tombant presque de la table pour suivre la main de Chat. Reste un peu !

– Non. Il faut que nous partions.

Chat repoussa doucement le dragon, lui donna deux petites tapes amicales sur la tête. Finalement, ce n'était pas si désagréable, le contact de la corne chaude de sa peau.

– Au revoir.

– Au revoir, dit le dragon.

Et il les suivit des yeux comme un chien qui voit son maître partir en promenade sans lui.

– Il a vraiment l'air de s'ennuyer, dit Chat après avoir fermé la porte.

– Ce n'est pas gentil ! Ce n'est qu'un bébé ! dit Janet.

Elle s'arrêta sur la première marche de l'escalier.

– Et si on l'emmenait faire une petite promenade, il est si mignon !

Chat était certain que s'il la laissait faire, elle se réveillerait en train de se faire manger les mollets par le dragon.

– Pas si mignon que ça, affirma Chat. Et puis il faut aller au jardin tout de suite. Il risque de tout raconter à M. Saunders dès qu'il le verra.

– Oui, s'il peut parler, il peut certainement cafarder, approuva Janet. Allons-y vite.

Chat marchait très précautionneusement en gardant une main sur sa poche, en cas d'accident. Il avait peur d'arriver au jardin avec une vie en moins. Il lui semblait en avoir perdu trois si rapidement, si facilement. Cela le déconcertait. D'après l'apparence de la pochette d'allumettes, la perte de sa cinquième vie avait dû être un accident aussi effroyable que celui de la veille, quand il avait perdu sa sixième vie. Pourtant, Chat ne l'avait pas sentie partir. Il avait perdu cette cinquième vie sans s'en rendre compte, et il ne parvenait pas à comprendre pourquoi. Il avait l'impression que ses vies ne lui étaient pas réellement liées, comme chez les autres gens.

Mais, au moins, il savait qu'il n'obligerait aucun autre Chat Arcand à subir ses problèmes dans ce monde lorsqu'il le quitterait.

Chapitre quinze

C'était une éblouissante journée de début d'automne. Les jardins brillaient de vert et d'or dans la douce chaleur. Il n'y avait pas âme qui vive, et seul le crissement des pas de Chat et de Janet sur le gravier du jardin à la française perçait le silence.

Ils étaient au milieu du verger lorsque Janet observa :
– Si le jardin que nous cherchons ressemble aux ruines d'un vieux château, alors je crois bien que nous sommes en train de nous en éloigner.

Chat aurait juré qu'ils s'y dirigeaient tout droit, mais il fut obligé de constater, en regardant autour de lui, que le vieux mur baigné de soleil se trouvait effectivement derrière eux. Il réfléchit un instant, sans toutefois parvenir à se rappeler comment Gwendoline et lui étaient arrivés jusqu'au fameux jardin.

Ils firent demi-tour et se remirent en marche, mais ils ne rencontrèrent rien d'autre que le long, long mur du verger. Le jardin interdit semblait juste au-delà, pourtant il n'y avait pas de porte. Lorsqu'ils en trouvèrent enfin une, elle menait à la roseraie et, une fois dans la roseraie, ils s'aperçurent qu'ils tournaient de nouveau le dos au vieux mur. Il se profilait, majestueux, derrière les arbres du verger.

– Tu crois que c'est un enchantement pour empêcher les gens d'entrer dans le jardin ? demanda Janet, comme ils traversaient le verger en sens inverse.

– J'en ai bien l'impression, dit Chat.

Ils se retrouvèrent bientôt dans le jardin à la française, avec le mur derrière eux, une fois de plus.

– A ce rythme-là, ils seront sortis de l'église avant qu'on ait découvert le jardin, dit Janet, anxieuse.

– Je crois qu'il faut essayer de le regarder du coin de l'œil, au lieu de vouloir y aller tout droit, répondit Chat.

Ce qu'ils firent. Ils marchèrent de biais, comme s'ils voulaient longer le jardin et non s'y rendre directement. Il semblait avancer en même temps qu'eux, docile, narquois. Et, soudain, ils se trouvèrent hors du verger, sur un sentier escarpé bordé de deux murs. A son extrémité se dressaient les ruines et le vertigineux escalier de pierre, envahi de roses trémières et de gueules-de-loup. Chat et Janet n'osaient pas les regarder, tandis qu'ils grimpaient le chemin d'un pas alerte. Mais le mur était bien là, au bout de la montée, imposant avec ses énormes pierres effritées qui fumaient au soleil.

Gravir l'escalier mit leurs nerfs à rude épreuve. Il était extrêmement haut. Ils se collaient de toutes leurs forces aux pierres brûlantes, mais leur équilibre restait précaire. De plus, les marches étaient très irrégulières, et certaines paraissaient sur le point de s'effondrer. Le soleil de midi semblait concentrer ses rayons sur le mur et leur faisait tourner la tête. A la fin de l'ascension, Chat dut garder le cou tendu vers les branches d'arbres qui dépassaient du sommet des ruines, car regarder dans une autre direction lui donnait instantanément le vertige. Il avait, par moments, des visions du château sous des angles beaucoup trop variés pour être possibles, ce qui commençait à lui faire soupçonner que les ruines bougeaient.

Pour toute entrée, il y avait une sorte d'entaille au sommet du mur. Ils s'y glissèrent sans bruit, tels des voleurs. Le sol sous leurs pieds était aplani comme si des gens avaient emprunté ce chemin depuis des siècles. Il y avait beaucoup d'arbres touffus et sombres, serrés les uns contre les autres, et il faisait délicieusement frais. Le petit sentier plat serpentait entre les troncs. Comme cela arrive souvent quand on marche dans une forêt épaisse, Janet et Chat avaient parfois l'impression que les arbres bougeaient d'un côté ou de l'autre lorsqu'ils s'en approchaient, ou bien apparaissaient au dernier moment sur leur chemin. Mais Chat n'était pas tout à fait sûr qu'il s'agissait d'une simple impression.

Ils aperçurent un vallon un peu plus loin, et s'y trouvèrent sans avoir eu la sensation de s'en être approchés.

– Quel endroit charmant ! chuchota Janet. Mais comme il est bizarre !

Le petit vallon était couvert de fleurs printanières : perce-neige, jonquilles, jacinthes, tulipes, toutes avaient fleuri à profusion en plein mois de septembre. La brise fraîche qui soufflait sur le vallon y était peut-être pour quelque chose. Janet et Chat marchaient en frissonnant au milieu des fleurs. Les senteurs sauvages et capiteuses du printemps, mêlées à un fort parfum de magie, montaient à la tête. Après quelques pas, ils ne purent s'empêcher de sourire. Deux pas encore, et ils riaient franchement.

– Oh ! regarde, dit Janet, il y a un chat !

C'était un gros matou rayé. Il se tenait, méfiant, derrière une touffe de primevères, avec l'air de se demander s'il fallait fuir ou si cela n'en valait pas la peine. Il regarda Janet, puis Chat. Chat le connaissait. Car s'il s'agissait incontestablement d'un chat, la forme de sa tête rappelait vaguement celle d'un violon…

Chat se mit à rire. D'ailleurs dans ce vallon, tout lui donnait envie de rire.

– C'est le vieux Violon ! dit-il. Il a été mon violon autrefois, tu sais. Je me demande ce qu'il fait là.

Janet posa un genou à terre et tendit la main :

– Ici, Violon ! Ici, minou…

Le fait de vivre dans le jardin semblait avoir considérablement adouci le caractère de Violon. Il laissa Janet le caresser et lui gratter le cou. Il la laissa même le prendre dans ses bras, familiarité qu'il n'eût jamais permise auparavant. Janet se mit debout, doucement, sans cesser de le caresser. Lorsque le chat commença à ronronner, son visage s'illumina. On eût dit Gwendoline revenant d'une leçon de sorcellerie, si ce n'est qu'elle avait l'air plus doux. Elle fit un clin d'œil à Chat :

– J'aime toutes les sortes de chats !

Chat rit de bon cœur et avança la main à son tour pour toucher la tête de Violon. Mais, troublé, il la retira aussitôt : il pouvait sentir le bois de l'instrument sous le pelage de l'animal.

Ils se remirent en marche et traversèrent une blanche étendue de narcisses qui embaumaient merveilleusement. Janet tenait toujours Violon dans ses bras. Ils n'avaient jusqu'alors pas vu de fleurs blanches, et Chat soupçonnait de plus en plus le jardin de se mouvoir autour d'eux à sa guise. Lorsqu'il se retrouva au milieu d'un champ de campanules, puis de tulipes rouges, ses soupçons se firent certitudes. Quelques instants plus tard, il eut l'impression qu'un bouquet d'arbres avait légèrement glissé de côté en contrebas, découvrant un parterre de boutons-d'or inondé de soleil. Au même moment, Chat vit, juste devant lui, un buisson d'églantines. Le jardin bougeait donc. Chat pouvait percevoir son mouvement à présent. Il se déplaçait autour d'eux et s'inclinait aussi parfois, d'un côté ou d'un autre. Chat se mit alors à imaginer les glissements du jardin à travers le parc du château, et il se sentit immédiatement malade, comme s'il était en voiture. Il décida donc de marcher et de regarder autour de lui sans plus se poser de questions.

Ils entrèrent dans un bosquet d'arbres au pied desquels s'épanouissaient des fleurs de plein été. Janet avait compris, elle aussi.

– J'ai l'impression de marcher sur un immense tapis roulant, dit-elle. Tu crois qu'on va faire le tour des quatre saisons comme ça ?

Mais ce n'était pas seulement les quatre saisons qui défilaient devant eux : après être passés sous des oliviers, des dattiers et des figuiers, ils se trouvèrent brusquement au milieu d'une sorte de petit désert. Çà et là poussaient quelques cactus qui, de loin, ressemblaient à des concombres difformes ou à de grands fauteuils verts parsemés d'épines. Certains portaient des fleurs éblouissantes. Janet et Chat n'eurent même pas le temps de souffrir de la chaleur car, déjà, le désert avait glissé sous leurs pas, et ils marchaient dans une douce et mélancolique lumière d'automne. Sous leurs yeux étonnés, les fleurs se fanaient, les arbres se teintaient de jaune et de pourpre en un instant ; un peu plus loin, les feuilles étaient toutes à terre. Ils se dirigeaient vers un buisson chargé de baies rouges. Il commençait à faire froid et cela déplut à Violon qui s'échappa brusquement des bras de Janet pour s'enfuir vers des climats plus doux.

– Mais où sont les portes des autres mondes ? Je n'y comprends rien ! dit Janet, revenant à la réalité.

– Je crois que nous allons bientôt y arriver, répondit Chat.

Il était certain, sans savoir pourquoi, qu'ils se rapprochaient du centre du jardin. C'était la première fois qu'il ressentait quelque chose de magique avec autant de force, et il en était très troublé.

Les arbres et les buissons autour d'eux étaient à présent recouverts d'une fine pellicule de givre. Les baies rouges luisaient à travers de petites coques de glace. Janet frissonnait. Ils passèrent sous un arbre chargé de fleurs roses gelées et longèrent un jasmin d'hiver qui étirait ses longues tiges parcourues de petites étoiles jaunes, avant de se trouver sous un énorme épineux dont les branches se tordaient en tous sens. Quelques fleurs blanches venaient d'y éclore. Comme il les enveloppait dans sa masse sombre, Janet leva les yeux :

– Il y a le même à Glastonbury, murmura-t-elle. On dit qu'il fleurit à Noël.

Chat savait à présent qu'ils étaient au cœur du jardin. Ils venaient d'arriver dans une petite prairie entourée d'arbres qui étaient plantés en cercle avec une grande régularité, sauf un. Et cet arbre-là était en automne. Il était le seul alentour à porter des pommes qui mûrissaient doucement au soleil. Dressé au centre de la prairie, il abritait à moitié quelques ruines étranges. Janet et Chat s'approchèrent du pommier et découvrirent une petite source qui semblait jaillir de nulle part pour replonger presque aussitôt dans la terre. Janet trouvait à cette eau un certain reflet doré qui lui rappelait la douche sous laquelle Chrestomanci avait maintenu Chat la veille.

Les ruines étaient les deux parties d'une arche brisée. Une dalle de pierre, probablement tombée de l'arche, était posée juste au pied de l'arbre. A part ces ruines, il n'y avait rien qui ressemblât à une porte.

– Je crois que nous y sommes, dit Chat.

Il se sentait très triste de partir.

– Oui, je crois aussi, approuva Janet d'une petite voix étouffée. En fait, j'ai le cafard. Comment part-on ?

– Je vais essayer de saupoudrer un peu de sang de dragon sous l'arche, dit Chat gravement.

Il sortit la coupelle de sa poche et sentit aussitôt à travers le mouchoir la forte odeur du sang de dragon. Au même instant, il sut qu'il agissait mal. Il n'aurait jamais dû apporter une matière aussi dangereuse dans un lieu doté de pouvoirs magiques si puissants et si différents.

Cependant, comme il ne savait pas ce qu'il pouvait faire d'autre, Chat saisit avec précaution une pincée de l'odorante poudre brune entre le pouce et l'index de sa main droite. Il recouvrit de nouveau la coupelle du mouchoir puis, lentement, à regret, il éparpilla la poudre entre les deux piliers de pierre.

L'air se mit à trembler entre les piliers, comme chauffé par une flamme. Le morceau de prairie verte qu'ils voyaient dans l'encadrement de l'arche fut soudain envahi de fumée et devint d'un blanc laiteux avant de s'obscurcir brusquement. Cette ombre disparut peu à peu, découvrant l'image d'une chambre immense. Elle semblait avoir plusieurs dizaines de mètres de long, et son sol était recouvert d'un tapis étrange et plutôt laid, représentant des sortes de cartes à jouer, colorées de bleu, de rouge et de jaune. La pièce fourmillait de gens. Chat trouva qu'ils ressemblaient eux aussi à des cartes à jouer parce qu'ils étaient vêtus de drôles d'habits bouffants aux teintes très vives. Ils s'affairaient çà et là dans la chambre, le torse bombé et le regard hautain.

L'air tremblait toujours entre les piliers de l'arche, ce qui faisait supposer à Chat qu'ils ne pourraient pas pénétrer dans cette pièce.

– Ce n'est pas ça, dit Janet. Où est-ce ?

Chat allait lui répondre qu'il n'en savait rien lorsqu'il aperçut Gwendoline. Elle était à demi allongée sur une sorte de lit à poignées porté par huit hommes en uniforme bouffant. Le lit était doré avec des coussins dorés et des poignées dorées. Gwendoline était vêtue d'une tenue blanc et or encore plus étrange que celle des autres, bien que d'un goût tout aussi douteux. Ses cheveux étaient relevés sur la tête par une sorte de coiffe en or qui pouvait être une couronne, et ses manières laissaient clairement deviner qu'elle était reine. Elle appelait d'un geste certaines personnes à l'air important, qui se précipitaient alors devant elle et écoutaient ses paroles avec une attention fiévreuse. Elle faisait signe à d'autres qui couraient aussitôt exécuter ses ordres. Elle tourna la tête vers quelqu'un qui se jeta face contre terre, implorant peut-être son pardon. Il implorait toujours lorsque des gardes en uniforme se saisirent brutalement de lui et l'emmenèrent. Gwendoline souriait d'aise sur sa couche royale, appréciant visiblement l'effervescence qui régnait autour de sa personne.

Le lit doré se trouva bientôt dans l'encadrement de l'arche. Et Gwendoline vit Janet et Chat. Chat le comprit à l'expression de surprise et de léger ennui sur son visage. Utilisa-t-elle un des pouvoirs dont elle avait le secret, ou la magie du sang de dragon était-elle épuisée ? Quoi qu'il en fût, l'espace entre les deux piliers s'obscurcit puis devint d'un blanc laiteux. Quelques nuages de fumée se dissipèrent et, de nouveau, il n'y eut plus que l'herbe verte de la prairie entre les vieilles pierres.

– C'était Gwendoline, dit Chat.

– C'est ce que j'ai pensé, dit Janet avec une nuance de mépris dans la voix. Elle va devenir grosse si elle se fait porter comme ça tout le temps.

– Elle avait l'air de s'amuser, soupira Chat.

– J'ai vu, dit Janet. Et maintenant, comment on fait pour trouver mon monde ?

Chat était bien embarrassé.

– Et si on essayait de se mettre de l'autre côté de l'arche ?

– Ce n'est pas une mauvaise idée, convint Janet.

Elle se mit à faire le tour des ruines, mais s'arrêta soudain :

– Il vaudrait mieux que ça marche cette fois, Chat. Tu

ne peux te permettre qu'un seul essai de plus... Tu crois que tu as perdu une vie en faisant ça ?

– Je n'ai pas senti... commença Chat.

Mais il fut interrompu par la brusque apparition de M. Nostrum entre les deux piliers de l'arche. Il tenait à la main la carte postale que Chat avait envoyée à Mme Sharp ; il semblait très énervé et mécontent.

– Mon cher garçon, dit-il à Chat. Je t'avais dit quatorze heure 30, pas midi ! Une chance que j'aie eu justement ta signature en main. Espérons que tout n'est pas perdu.

Il tourna la tête et héla quelqu'un, là où Janet et Chat ne voyaient qu'une prairie vide.

– William ? Ce misérable gamin m'a mal compris, apparemment, mais le sortilège fonctionne à merveille. N'oublie pas d'apporter le... matériel.

Il fit un pas hors de l'arche, et Chat recula en même temps. Tout semblait calme dans le jardin. Les feuilles du pommier ne frissonnaient même pas, et le bouillonnement de la petite source s'était changé en un ruissellement discret. Chat avait l'intuition grandissante que Janet et lui venaient de commettre une erreur monumentale. Janet se tenait de l'autre côté de l'arche, une main sur la bouche, l'air horrifié. Elle fut soudain masquée par l'énorme silhouette de M. William Nostrum qui venait d'apparaître à son tour entre les deux piliers de pierre. Il tenait un rouleau de corde à la main et des objets scintillants dépassaient de sa redingote. Ses yeux partaient dans tous les sens opposés de préférence.

– Prématuré, mais satisfaisant, Henry, haleta-t-il. Je viens de prévenir tout le monde.

William Nostrum sortit pompeusement de l'arche pour rejoindre son frère. Le sol trembla un peu. Le jardin était totalement silencieux à présent. Chat recula de nouveau d'un pas, et il s'aperçut que la petite source avait cessé de couler. Il n'y avait plus qu'un petit trou boueux au pied de l'arbre. Il était tout à fait certain à présent qu'ils avaient commis une erreur monumentale.

A la suite des Nostrum, d'autres gens commencèrent à apparaître dans l'encadrement de l'arche. L'une des trois Sorcières accréditées arriva tout d'abord ; son visage était aussi vert que la prairie et elle semblait alarmée. Sa robe de satin noir et rose ainsi que son monstrueux chapeau à fruits, à fleurs et à plumes laissaient supposer qu'elle sortait de l'église. Presque tous ceux qui la suivaient étaient également endimanchés : des sorciers en costume de serge bleue, des sorcières en robe de soie et châle de tulle multicolore, des nécromaciens à l'air respectable en redingote comme celle de William Nostrum, des jeteurs de sort faméliques vêtus de noir, et une poignée de magiciens imposants qui arrivaient de l'église ou d'un terrain de golf. Tous ces gens s'amassaient progressivement autour de l'arche. Ils apparurent d'abord par deux ou trois, puis par six ou sept. Ils avaient tous l'air un peu perdu et nerveux. Chat reconnut parmi eux la plupart des sorcières et des devins de Coven Street, bien qu'il ne vît ni Mme Sharp ni Mlle Larkins – mais ce pouvait être pour la simple raison qu'il se trouvait ballotté d'un côté et de l'autre de la foule grossissante.

M. William Nostrum criait à chaque nouvel arrivage :

– Dispersez-vous autour de la clairière ! Bloquez toute issue !

Janet se fraya à grand-peine un chemin dans la foule et saisit Chat par le bras.

– Oh, Chat ! Qu'est-ce qu'on a fait ? Et ne me dis pas que ces gens ne sont pas des sorciers ou des sorcières, je ne te croirais pas.

– Ah, ma chère Gwendoline ! s'exclama Henry Nostrum. Le plan numéro deux est sur la bonne voie, comme tu peux le constater.

A ce moment, les bords en pente douce de la prairie étaient complètement envahis par la foule des sorciers. Le sol tremblait de leur agitation, et l'air bourdonnait de leurs bavardages animés. De tous côtés, on ne distinguait qu'une épaisse forêt de chapeaux multicolores. On se serait cru à l'ouverture d'une vente de charité.

Dès que le dernier nécromancien apparut entre les deux piliers, Henry Nostrum posa lourdement une main possessive sur l'épaule de Chat. Chat se demanda avec inquiétude si c'était par hasard que cette même main tenait la carte adressée à Mme Sharp. Il remarqua le Sorcier empressé, nonchalamment appuyé contre l'un des piliers de l'arche, ses épaules de déménageur moulées dans un costume noir, son éternel sourire stupide sur les lèvres. William Nostrum s'était caché tant bien que mal entre le second pilier et le tronc de l'arbre. Curieusement, il avait ôté sa fameuse montre à chaîne d'argent et la faisait rebondir dans sa main avec un air satisfait.

– A présent, ma chère Gwendoline, dit Henry Nostrum, voudrais-tu avoir l'honneur de convoquer Chrestomanci ?

– Euh… j'aimerais mieux pas, dit Janet.

– Dans ce cas, j'en prendrai la responsabilité moi-même, dit M. Nostrum, les yeux brillants de plaisir.

Il s'éclaircit la gorge et s'écria d'une ridicule voix de fausset :

– Chrestomanci ! Chrestomanci ! Venez ici !

Chrestomanci apparut aussitôt entre les piliers. Il devait tout juste sortir de l'église. Il tenait son haut-de-forme d'une main et s'apprêtait, de l'autre, à remettre son missel dans la poche de son éblouissant costume gris. L'assemblée de sorcières et de nécromanciens l'accueillit avec un grondement satisfait. Chrestomanci cligna des yeux à plusieurs reprises et regarda autour de lui de son air le plus désorienté. Sa confusion augmenta encore lorsqu'il aperçut Chat et Janet.

Chat ouvrit la bouche pour lui crier de partir mais le Sorcier empressé avait déjà bondi sur Chrestomanci. Il grognait. Ses ongles s'étaient transformés en griffes, et ses dents en crocs.

Chrestomanci fourra le missel dans sa poche et posa son regard vague sur le Sorcier empressé. Le Sorcier resta alors suspendu à mi-hauteur et se mit à rapetisser si vite que cela produisit un léger sifflement. Un instant plus tard, le Sorcier n'était plus qu'une petite chenille brune qui tomba sans bruit dans l'herbe. Pendant ce temps, William Nostrum s'était extirpé de sa cachette. Il attrapa la main droite de Chrestomanci et l'entoura de sa chaîne en argent.

– Derrière vous ! crièrent Janet et Chat, mais trop tard.

La chenille brune explosa alors pour redevenir le Sorcier empressé, un peu ébouriffé mais l'air très satisfait. Il se jeta de nouveau sur Chrestomanci. Il devint évident que la chaîne en argent avait ôté ses pouvoirs à Chrestomanci. Un furieux combat se livra sous l'arche pendant quelques instants : le Sorcier empressé s'efforçait d'immobiliser Chrestomanci, tandis que ce dernier tentait désespérément d'arracher la chaîne en argent de son poignet, que M. Nostrum maintenait de toutes ses forces. Aucun d'eux n'utilisait la sorcellerie, et Chrestomanci semblait tout juste capable de repousser faiblement l'épaule du Sorcier empressé. A la troisième tentative, le Sorcier réussit à immobiliser Chrestomanci, et William Nostrum en profita pour lui passer une paire de menottes en argent aux poignets.

Il y eut un cri de triomphe dans l'assemblée, le cri de dizaines et de dizaines de sorciers, un cri qui fit vaciller un instant la lumière du soleil. Chrestomanci, qui était maintenant encore plus ébouriffé que le Sorcier empressé, fut traîné hors des ruines de l'arche. Son haut-de-forme gris roula aux pieds de Chat, et Henry Nostrum se mit à le piétiner avec des grognements de satisfaction. Chat crut pouvoir en profiter pour se libérer de la main pesante de M. Nostrum, mais s'aperçut qu'il ne pouvait plus bouger. Il ne s'était donc pas trompé : M. Nostrum utilisait bien sa signature sur la carte postale. Chat était aussi impuissant que semblait l'être Chrestomanci.

– C'était donc vrai ! s'écria Henry Nostrum, tandis que le Sorcier empressé poussait Chrestomanci contre l'arbre. Le contact de l'argent a raison de Chrestomanci, du grand Chrestomanci !

– Et oui. N'est-ce pas regrettable ? ajouta Chrestomanci.

William Nostrum arracha précipitamment la montre en argent qui ornait également le plastron de son frère et la lia à la sienne. Ces deux chaînes, appartenant à des personnes aussi imposantes que les Nostrum, suffirent à attacher Chrestomanci au tronc du pommier. William Nostrum termina l'opération par deux nœuds ensorcelés et revint en se frottant les mains. La foule poussa des hurlements de joie et applaudit à tout rompre. Chrestomanci se laissa fléchir, comme épuisé. Sa tête roula sur son épaule. Ses mèches sombres pendaient tristement sur son front et son costume était maculé de vert à cause de l'écorce de l'arbre. Chat se sentait d'une certaine façon honteux de le voir dans cet état. Cependant Chrestomanci ne semblait pas se laisser abattre, il releva la tête et dit :

– Et maintenant, quelle est la suite du programme ?

Les yeux de William Nostrum se mirent à danser joyeusement.

– Nous allons faire de notre mieux pour la rendre la pire possible, pour vous évidemment, dit-il. Voyez-vous, nous sommes vraiment las des contraintes que vous nous imposez. Pourquoi ne pourrions-nous pas aller dans l'au-delà, nous aussi ? Pourquoi ne pourrions-nous pas utiliser du sang de dragon, nous aussi ? Pourquoi ne pourrions-nous pas laisser libre cours à nos envies quelles qu'elles soient ? Laisser libre cours à nos ambitions ? Voulez-vous bien me répondre ?

– Je crois que vous seriez en mesure de trouver tout seul la réponse, avec un peu de réflexion, suggéra Chrestomanci.

Mais sa voix fut noyée sous les huées de la foule. Pendant ce temps, Janet se dirigeait discrètement vers l'arbre. Elle supposait que Chat, immobilisé par la main de M. Nostrum, n'osait pas bouger, et se disait que quelqu'un devait faire quelque chose.

– Oh, oui ! dit Henry Nostrum d'un air triomphant. Aujourd'hui est un grand jour. Tous les pouvoirs seront bientôt dans nos propres mains. La terre nous appartiendra ce soir. Et nous pourrons alors partir à la conquête des autres mondes. Nous allons vous détruire, mon ami. Mais avant cela, bien sûr, nous allons détruire ce jardin.

Chrestomanci regarda d'un air songeur ses mains prisonnières qui pendaient sans vie au bout des menottes d'argent.

– Je vous déconseille de faire ça, dit-il. Il y a dans ce

jardin des choses qui viennent de l'aube de l'univers. Il est cent fois plus puissant que je ne le suis. Vous frapperiez les racines mêmes de la sorcellerie. De plus, vous ne parviendrez pas à le détruire si facilement.

– Ah… dit Henry Nostrum, mais nous savons que nous ne pouvons pas vous anéantir tant que nous n'aurons pas détruit ce jardin. Et ne croyez pas, rusé personnage, que nous ignorons comment détruire le jardin.

Il posa sa main libre sur l'épaule de Chat et le poussa devant lui.

– Le moyen, le voici.

A cet instant, Janet trébucha sur la dalle de pierre qui était posée au pied de l'arbre.

– Oh, nom d'un chien ! dit-elle en s'étalant de tout son long.

La foule hurlait de rire en la montrant du doigt, ce qui la rendit encore plus furieuse. Elle regarda d'un œil mauvais la congrégation de chapeaux endimanchés.

– Allons, debout, ma chère Gwendoline ! dit gaiement Henry Nostrum. Ceci est la place du jeune Chat, pas la tienne.

Il mit son bras autour de Chat, toujours impuissant, le souleva et le transporta vers la pierre au pied du pommier. William Nostrum déroulait sa corde avec un large sourire. Le Sorcier empressé s'approcha, impatient de se rendre utile.

Chat eut si peur qu'il parvint, sans trop comprendre comment, à rompre le sort. Il glissa des mains de Henry Nostrum et bondit comme un fou en direction de l'arche, tout en essayant de sortir le sang de dragon de sa poche. Il n'avait que quelques pas à faire mais, bien sûr, chaque sorcière, chaque jeteur de sort, chaque magicien prononça une formule au même instant. Une puissante odeur de magie s'éleva dans l'air. Chat eut l'impression que ses jambes devenaient deux morceaux de plomb. Son cœur battait à tout rompre. Il ne courait plus qu'au ralenti, malgré ses efforts. Ses membres se faisaient de plus en plus lourds. Il était comme un jouet mécanique dont le mouvement ralentit inexorablement, puis s'arrête. Il entendait Janet lui crier de partir, mais il restait figé devant l'arche. Il était seulement capable de respirer.

Les frères Nostrum et le Sorcier empressé s'approchèrent de Chat et ligotèrent avec soin son corps raidi. Janet se démenait furieusement pour les en empêcher.

– Arrêtez, je vous en prie ! Mais qu'est-ce que vous faites ?

– Allons, allons, Gwendoline, dit Henry Nostrum en fronçant les sourcils. Tu le sais parfaitement. Je t'ai déjà expliqué en détail que pour désenchanter le jardin, il fallait trancher la gorge d'un enfant innocent sur la pierre qui se trouve là. Et tu étais d'accord.

– Non ! Ce n'était pas moi ! cria Janet.

– Reste tranquille, l'interrompit Chrestomanci de son arbre. Tu veux te retrouver à la place de Chat ?

Janet le regarda longuement, fixement, comprenant peu à peu toute la signification de cette phrase. Pendant ce temps, Chat, immobile et ficelé comme une momie, était jeté sans ménagement sur la dalle au pied de l'arbre par le Sorcier empressé. Chat le fusillait du regard : lui qui avait toujours semblé si amical et inoffensif ! Chat était cependant beaucoup moins effrayé qu'il n'eût dû l'être. Bien sûr, Gwendoline savait qu'il pouvait se permettre de perdre une vie. Il espérait seulement que sa gorge cicatriserait après qu'ils l'auraient tranchée. Et si possible assez rapidement, parce que cela risquait tout de même d'être assez inconfortable. Il voulut rassurer Janet

du regard, mais, au même instant, Janet s'évanouit soudain dans le néant, ne laissant derrière elle qu'un petit cri d'effroi. Le même cri se répercuta dans la foule. Ils étaient tous aussi déconcertés que Chat.

– Bon ! s'exclama Gwendoline de l'autre côté de la pierre. Je vois que j'arrive à temps.

Tous les regards se posèrent sur elle. Gwendoline sortit de l'arche, essuyant la poudre de sang de dragon qu'elle avait encore sur les mains au moyen d'un vieux devoir de classe de Chat. Il reconnaissait sa signature au bas de la feuille : « Eric Emile Arcand – 26 Coven Street, Wolvercote, Angleterre, Europe, le Monde, l'Univers. » Aucun doute, cette page était de lui. Gwendoline avait encore les cheveux remontés en cette étrange coiffure, mais elle s'était débarrassée de sa volumineuse robe blanc et or. Elle portait ce qui, dans son nouveau monde, correspondait sans doute à des sous-vêtements, mais était plus magnifique encore que n'importe quelle robe de chambre de Chrestomanci.

– Gwendoline ! s'exclama Henry Nostrum en pointant l'index vers l'endroit où Janet venait de disparaître. Mais qu'est-ce que… qui… ?

– Oh, juste une remplaçante, répondit évasivement Gwendoline. Je viens de les voir là, elle et Chat, alors j'ai compris que…

Elle remarqua Chrestomanci attaché au pommier.

– Oh, formidable ! Vous l'avez eu ! Juste un petit instant.

Elle marcha jusqu'à Chrestomanci et releva délicatement ses sous-vêtements dorés pour le frapper violemment sur les tibias :

– Prends ça ! Et ça !

Chrestomanci n'essaya pas de prétendre que les coups

ne faisaient pas mal. Il tressaillit à chaque fois. Les extrémités des chaussures de Gwendoline étaient aussi aiguisées que des couteaux.

– Voyons… Où en étais-je ? dit Gwendoline en se retournant vers les frères Nostrum. Ah oui ! J'ai pensé que je ferais bien de revenir parce que ça risquait d'être amusant. Et puis j'avais oublié de vous prévenir que Chat a neuf vies. J'ai bien peur qu'il ne vous faille le tuer plusieurs fois.

– Neuf vies ! s'écria Henry Nostrum. Espèce de petite sotte !

Il y eut soudain tant de cris, d'exclamations et de rumeurs dans la clairière que l'on n'entendit plus rien d'autre.

De la pierre où il était couché, Chat pouvait voir William Nostrum penché sur Gwendoline, le visage cramoisi, les yeux exorbités, écumant de rage. Il aboyait au visage de Gwendoline qui ne semblait pas du tout impressionnée mais tentait visiblement de crier plus fort que lui. Comme le bruit s'éteignait peu à peu dans la foule, Chat entendit William Nostrum hurler :

– Neuf vies ! Mais s'il a neuf vies, pauvre idiote, ça veut dire que c'est un enchanteur !

– Je ne suis pas idiote ! hurla Gwendoline. Je le sais aussi bien que vous ! Je me suis toujours servie de ses pouvoirs depuis qu'il est né ! Mais je ne pouvais pas continuer à les utiliser si vous le tuiez, non ? C'est pour ça que je suis partie. Et j'estime que c'est assez gentil de ma part d'être revenue vous prévenir. Alors, la ferme !

– Comment as-tu fait pour utiliser ses pouvoirs ? demanda Henry Nostrum, encore plus furieux que son frère.

– Je l'ai fait, dit Gwendoline. De toute façon, ça lui était égal.

– Ça ne m'est pas égal, dit Chat de sa position incon-fortable. Je suis là, tu sais.

Gwendoline le regarda comme si elle était encore plus surprise que lui. Mais avant qu'elle ait pu répondre quelque chose à Chat, William Nostrum imposa le silence à tous. Il sortit un long objet brillant de sa poche et l'agita nerveusement.

– Silence ! Nous sommes allés trop loin pour reculer maintenant. Ce qu'il faut faire, c'est trouver le point faible du garçon. Nous ne parviendrons pas à le tuer tant que nous ne l'aurons pas découvert. Mais il en a obliga-toirement un. Tous les enchanteurs en ont un.

William Nostrum se pencha alors sur Chat et dirigea vers lui l'objet brillant. Chat vit qu'il s'agissait d'un long couteau d'argent. Et ce couteau était pointé sur lui, même si les yeux de William Nostrum ne l'étaient pas.

– Quel est ton point faible ? Allez, dis-le !

Chat se taisait. Cela lui semblait le seul moyen de conserver ses vies.

– Je sais, dit Gwendoline. C'est moi qui l'ai fait. J'ai mis ses vies dans une pochette d'allumettes. Comme ça je pouvais les utiliser plus facilement. Elle est dans ma chambre au château. Vous voulez que j'aille la chercher ?

Tous ceux que Chat pouvait voir de sa position allon-gée semblèrent rassurés à ces mots.

– Bien, fit Henry Nostrum. Peut-il être tué sans brûler les allumettes ?

– Oh, oui, dit Gwendoline, il s'est noyé une fois.

– Donc, la question, dit William Nostrum, l'air tout à fait rassuré, est de savoir combien de vies il lui reste. Combien t'en reste-t-il, dis-moi ?

Il pointa de nouveau le couteau vers Chat. Chat se tai-sait toujours.

– Il ne sait pas, s'impatienta Gwendoline. J'ai dû en utiliser pas mal. Il en a perdu une à la naissance et une en se noyant. J'en ai utilisé une pour les mettre dans la pochette d'allumettes – ça lui a donné des crampes d'ailleurs, je n'ai jamais bien compris pourquoi. Ensuite, le sale type qui est attaché là a refusé de me donner des cours de sorcellerie et m'a enlevé mes pouvoirs, alors j'ai dû prendre une autre vie à Chat pour partir dans mon merveilleux nouveau monde – il s'est montré peu coopératif, mais j'y suis arrivée tout de même – et voilà. Oh, j'allais oublier : j'ai mis sa quatrième vie dans son violon pour le transformer en chat. Violon, vous vous souvenez, monsieur Nostrum ?

Henry Nostrum sursauta et se mit à tirer frénétiquement sur ses deux touffes de cheveux. La foule était de nouveau consternée.

– Tu n'es qu'une imbécile ! Quelqu'un est venu chercher ce chat et l'a emmené. On ne pourra jamais le tuer !

Gwendoline sembla un moment désemparée. Puis une idée lui vint :

– Si je repars, vous pourrez prendre ma rempl…

Les chaînes autour de Chrestomanci se mirent à tinter :

– Nostrum, vous vous torturez l'esprit inutilement. C'est moi qui ai fait prendre le chat-violon. L'animal est quelque part dans le jardin.

Henry Nostrum regarda Chrestomanci d'un air soupçonneux, se tenant toujours les cheveux à deux mains, comme si cela l'aidait à garder les idées en place.

– Permettez-moi de douter, mon ami. Vous êtes réputé si malin…

– Vous me flattez, dit Chrestomanci, hélas ! il m'est absolument impossible de mentir ainsi ligoté avec ces chaînes d'argent.

Henry Nostrum leva vers son frère un œil interrogateur.

– C'est plausible, dit William, hésitant. L'argent l'oblige à dire ce qu'il pense. Oui, la vie manquante peut effectivement être quelque part dans le jardin.

Gwendoline, le Sorcier empressé ainsi que la plupart des sorcières et des nécromanciens n'en demandaient pas davantage.

– Je vais le chercher alors, dit Gwendoline.

Et elle s'élança en direction des arbres, le plus vite qu'elle pouvait dans ses chaussures pointues, déjà distancée par le Sorcier empressé. Comme ils passaient en courant près d'une sorcière coiffée d'un chapeau vert, celle-ci s'écria :

– C'est bien, ma chérie ! Nous allons tous chercher avec toi.

Puis elle héla la foule de sa voix perçante :

– Allez ! A la chasse au minet !

Tous répondirent à son appel, chapeaux à la main et jupes relevées. La clairière se vidait rapidement ; les arbres autour commençaient à s'agiter et faisaient entendre de sinistres craquements. Mais le jardin ne facilitait pas la tâche des chasseurs. Régulièrement, une sorcière, un jeteur de sort se retrouvait de nouveau dans la prairie sans comprendre pourquoi.

Chat entendit Chrestomanci dire :

– Vos amis semblent bien ignorants, Nostrum. Ils auraient dû partir dans la direction opposée à celle du soleil. Peut-être feriez-vous mieux de les en informer. L'animal se trouve certainement au printemps ou en été.

William Nostrum lui lança un œil furibond, tandis que l'autre cherchait le soleil. Il se mit à courir maladroitement en criant :

– Frères et sœurs, revenez ! Demi-tour ! Il faut aller contre le soleil !

– Laissez-moi vous dire, monsieur, déclara Henry Nostrum, que vous commencez à m'énerver sérieusement.

Il allait ajouter autre chose, mais il fut emporté par la foule de sorcières et de magiciens qui déferlait en sens inverse avec, dans les premiers rangs, Gwendoline et le Sorcier empressé. Tous semblaient très indignés. Emporté par la horde de ses confrères et consœurs, Henry Nostrum eut juste le temps de crier :

– Mes chers amis, ma chère élève, contre le soleil !

Quelques instants plus tard, la prairie était vide et presque silencieuse. Chrestomanci et Chat se retrouvaient seuls pour un moment.

CHAPITRE SEIZE

– Chat, dit Chrestomanci, Chat.

Chat entendait cette voix qui venait de derrière lui, mais il ne voulait pas parler. Allongé, il regardait le ciel bleu à travers les feuilles du pommier. Sa vue se brouillait. Chat ferma alors les yeux, et des larmes coulèrent sur ses tempes et ses oreilles. A présent il savait à quel point Gwendoline se désintéressait de lui. Et il n'était plus sûr du tout de vouloir conserver aucune de ses vies. Il écoutait les cris, les appels, les craquements de branches au loin, espérant presque que Violon serait bientôt attrapé. Par moments, il avait l'étrange sensation d'être Violon lui-même – Violon, furieux et apeuré, qui se débattait et griffait sauvagement une sorcière en chapeau fleuri.

– Chat, dit Chrestomanci.

Lui aussi semblait désespéré.

– Chat, je sais ce que tu ressens. Nous espérions que tu n'apprendrais jamais rien au sujet de Gwendoline avant des années. Mais tu es un enchanteur. Je pense même que tu seras un enchanteur beaucoup plus puissant que moi, lorsque tu auras la maîtrise de tes facultés. Veux-tu bien essayer de les utiliser maintenant, avant que ce pauvre Violon ne se fasse attraper ? Je t'en prie. C'est une faveur que je te demande. Juste pour me permettre de me libérer de ces chaînes et de ces menottes d'argent, afin que je retrouve mes pouvoirs.

Pendant que Chrestomanci parlait, Chat était de nouveau dans la peau de Violon. Il grimpait à un arbre, mais le Sorcier empressé et l'une des Sorcières accréditées l'en délogeaient en secouant les branches. Il se mettait alors à courir, à courir et, soudain, il bondissait pour échapper aux grandes mains du Sorcier empressé qui allaient se refermer sur lui. Un bond immense, d'un endroit immensément haut. Chat se sentait tomber dans le vide. Son cœur se soulevait. Il ouvrit les yeux. Les feuilles de l'arbre s'agitaient doucement sur le ciel bleu. Les pommes semblaient presque mûres.

– Que voulez-vous que je fasse ? demanda-t-il. Je ne sais rien faire.

– Je sais, dit Chrestomanci. J'étais dans le même cas que toi lorsqu'on me l'a appris. Peux-tu faire bouger ta main gauche ?

– D'avant en arrière, dit Chat en faisant l'essai. Mais je ne peux pas la sortir de la corde.

– Tu n'en as pas besoin, dit Chrestomanci. Tu as plus de capacités dans le petit doigt de cette main-là que n'en ont la plupart des gens – y compris Gwendoline – dans leur vie entière. Et la force magique du jardin devrait t'aider. Il faut simplement que tu fasses comme si tu voulais scier la corde avec ta main gauche, tout en imaginant que cette corde est en argent.

Chat tendit le cou et regarda Chrestomanci, incrédule. Chrestomanci semblait agité, pâle et tout à fait sérieux. Il disait certainement la vérité. Chat fit glisser sa main contre la corde. Elle était rugueuse. Il se dit que ce n'était pas de la corde, mais de l'argent. Et la corde se fit douce et lisse sous ses doigts. Toutefois il se demandait comment il pourrait la scier. Il écarta le plus possible sa main gauche de la corde, puis il revint l'en frapper avec le tranchant, d'un coup sec. Tintement. La corde était rompue.

– Merci, dit Chrestomanci. C'en est fait des deux chaînes d'argent. Mais pour les menottes, ce sera plus difficile. Elles semblent avoir un sortilège très puissant. Peux-tu essayer ?

La corde était beaucoup plus lâche à présent. Chat se mit à la secouer vigoureusement dans un concert de cliquetis bizarres – il commençait à se demander en quoi exactement il l'avait transformée – et finit par s'en débarrasser. Chrestomanci fit quelques pas vers lui. Il semblait à peine tenir sur ses jambes, et ses mains pendaient toujours tristement au bout des menottes. Au même instant, le Sorcier empressé et la sorcière au chapeau fleuri sortirent du bois. Ils étaient en pleine discussion.

– Je vous dis que le chat est mort. Il est bien tombé de vingt mètres de haut.

– Et moi, je vous dis que ces bêtes-là retombent toujours sur leurs pattes.

– Expliquez-moi pourquoi on ne l'a pas vu bouger, alors !

Chat comprit qu'il ne fallait plus perdre de temps à essayer d'imaginer des choses. Il mit ses deux mains sur les menottes et tira d'un coup sec.

– Aïe ! fit Chrestomanci.

Mais, au moins, il était libre. Chat se sentait soudain

ravi de ses talents tout neufs. Il sépara les menottes en deux et leur ordonna de se transformer en aigles féroces.

– Allez attaquer les Nostrum ! dit-il.

La menotte gauche décolla sauvagement comme on le lui avait demandé, mais celle de droite resta une menotte d'argent et tomba sur l'herbe. Chat dut la lancer de la main gauche pour qu'elle veuille bien exécuter ses instructions.

Chat chercha Chrestomanci du regard. Il se tenait sous le pommier, et le petit homme nommé Bernard, celui des valeurs boursières, se dirigeait vers lui d'un pas nonchalant. Sa cravate était dénouée. Il tenait à la main un stylo et un journal ouvert à la page des mots croisés.

– Enchantement en cinq lettres finissant par un C, murmura-t-il avant de remarquer la présence de Chrestomanci.

Il regarda tour à tour le costume taché de vert, les chaînes en argent, Chat, la corde, et la foule qui s'approchait à grand bruit à travers les arbres.

– Oh, mon Dieu ! dit-il. Je suis désolé... je ne savais pas du tout que tu avais besoin de moi. Tu veux les autres aussi ?

– C'est assez urgent, répondit Chrestomanci.

La sorcière au chapeau fleuri s'aperçut alors que Chrestomanci s'était détaché, et elle émit un cri perçant de sorcière :

– Ils s'enfuient ! Attrapez-les !

Une marée de magiciens, de sorciers et de sorcières se déversa dans la clairière en jetant des sorts. Des murmures montaient de toutes parts, tandis qu'une forte odeur de magie se dégageait. Chrestomanci leva la main comme pour réclamer le silence. Les murmures s'enflèrent en grondements de colère mais la foule ne s'avança pas plus près. Les seules personnes qui bougeaient encore étaient William et Henry Nostrum. Ils couraient à toutes jambes entre les arbres, en poussant des cris plaintifs, chacun poursuivi par un aigle acharné.

Bernard fronça les sourcils en mâchonnant son stylo :

– Mais ils sont horriblement nombreux !

– Essaie encore. Je t'aide comme je peux, dit Chrestomanci qui fixait la foule grondante avec anxiété.

Les sourcils broussailleux de Bernard tressaillirent.

– Ah !

Mlle Bessemer venait d'apparaître à quelques pas de lui. Elle tenait un mécanisme d'horloge dans une main et un chiffon dans l'autre. Sa haute silhouette rouge se détachait avec majesté sur l'herbe et semblait, peut-être à cause de l'inclinaison de la clairière, plus grande que d'habitude. Un regard lui suffit pour comprendre la situation.

– Il va vous falloir toute une équipe pour avoir raison d'eux, dit-elle à Chrestomanci.

Une sorcière dans la foule hurla :

– Il a du renfort !

Chat eut l'impression que c'était Gwendoline. Le parfum de magie se fit plus fort, et les murmures devinrent comme un roulement de tonnerre. La forêt de chapeaux semblait se rapprocher tout doucement. La main que levait toujours Chrestomanci commença à trembler.

– Ah, le jardin les aide aussi, dit Bernard. Allez-y de toutes vos forces, ma petite Bessie !

Il se remit à mordre son stylo avec ardeur en fronçant les sourcils. Mlle Bessemer rangea soigneusement le mécanisme d'horloge dans le chiffon et devint encore plus grande. Soudain, les autres membres de la famille firent leur apparition un à un, tous surpris au beau milieu de paisibles activités dominicales. L'une des jeunes femmes tenait

264

une pelote de laine, et un jeune homme l'aidait à l'enrouler. Un autre homme tenait une queue de billard. Armée d'un crochet, la vieille dame aux gants s'en confectionnait une nouvelle paire. M. Saunders apparut avec un bruit sourd. Il était visiblement en train de chahuter avec le petit dragon qu'il portait sous son bras, et tous deux semblaient parfaitement ahuris d'avoir été ainsi interrompus en plein jeu.

Lorsque le dragon aperçut Chat, il se tortilla et se dégagea du bras de M. Saunders pour lui sauter au cou, tout feu tout flamme, lui faisant presque perdre l'équilibre. Chat se retrouva donc avec un petit dragon – plutôt lourd d'ailleurs – accroché affectueusement à sa chemise, qui lui léchait la figure avec enthousiasme, de sa langue brûlante.

Chat aurait probablement eu le visage carbonisé s'il n'avait pas réagi à temps et demandé aux flammes d'être tièdes. Julia et Roger apparurent à leur tour, les bras tendus au-dessus de la tête parce qu'ils avaient été surpris en train de jouer aux miroirs volants. Ils ouvraient de grands yeux.

– Mais on est dans le jardin ! s'exclama Roger. Et qui sont tous ces gens ?

– C'est la première fois que tu nous appelles comme ça, papa, dit Julia.

– C'était urgent, dit Chrestomanci.

Il avait les deux mains levées à présent et semblait épuisé.

– Il faut immédiatement que vous alliez chercher votre mère. Allez vite !

– Nous les tenons, dit M. Saunders.

Il essayait de paraître confiant mais ne parvenait pas à masquer son anxiété. La foule grondante s'était encore un peu rapprochée.

– Non ! gémit la vieille dame aux gants. Nous ne pouvons rien de plus sans Milly.

Chat avait l'impression que tout le monde tentait désespérément de faire venir Milly. Il voulait les aider, mais il ne savait pas comment. De plus, les flammes du dragon devenaient de plus en plus chaudes et il avait besoin de toute son énergie pour ne pas être brûlé.

Roger et Julia n'arrivaient pas à trouver Milly.

– Mais qu'est-ce qui se passe ? demanda Julia. Nous y arrivons sans problème d'habitude.

– Tous ces sorciers se concentrent pour nous en empêcher, dit Roger.

– Essayez encore, dit Chrestomanci. Moi non plus je n'y arrive pas. Quelque chose me bloque.

– Tu participes aussi ? demanda le dragon à Chat.

Chat trouvait les flammes presque insupportables à présent. Il transpirait et son visage était écarlate. Aux paroles du dragon, il comprit soudain ce qui se passait. Il participait, oui, mais du mauvais côté, parce que Gwendoline se servait une nouvelle fois de lui. Il y était tellement habitué qu'il l'avait à peine remarqué. Désormais, cependant, il pouvait le sentir. Elle utilisait si bien ses pouvoirs que Chrestomanci ne pouvait appeler Milly et que lui-même se faisait brûler.

Pour la première fois de sa vie, cela le mit en colère.

– Elle n'a pas le droit ! dit-il avec force au dragon.

Et il reprit ses pouvoirs. Il sentit aussitôt un courant d'air frais sur son visage.

– Chat ! Arrête immédiatement ! hurla Gwendoline dans la foule.

– Toi, la ferme ! cria Chat. C'est à moi !

A ses pieds, la petite source bouillonnante rejaillit gaiement. Comme il allait l'examiner de plus près, il s'aperçut que les visages autour de lui semblaient enfin heureux et soulagés. Milly était arrivée. Etait-ce une illusion, ou un des tours du jardin magique ? Comme celle de Mlle Bessemer plus tôt, sa silhouette semblait immense. Son visage était empreint de douceur. Elle tenait Violon dans ses bras. Le matou paraissait en piteux état, mais ronronnait sous les caresses de Milly.

– Je suis désolée, dit Milly. Je serais venue plus tôt si j'avais su. Mais ce pauvre animal était tombé du haut du mur du jardin, et son état me préoccupait terriblement.

Chrestomanci sourit et baissa les mains. Il ne semblait plus avoir d'effort à faire pour maintenir la foule à distance. Elle ne bougeait plus, à présent, et le grondement avait cessé.

– Ce n'est pas grave, dit-il. Mais il faut maintenant se mettre au travail.

La famille se mit immédiatement au travail. Plus tard, Chat ne devait garder de ce moment qu'un souvenir étrange, confus et difficile à décrire : des grondements, des éclats de tonnerre, des vagues d'obscurité et de brume. Il avait eu l'impression un instant que Chrestomanci avait pris une taille gigantesque – mais peut-être était-ce parce que lui-même avait dû s'agenouiller pour mieux protéger le petit dragon qui était mort de peur. Les sorcières poussaient de longs hurlements, les jeteurs de sort et les magiciens grondaient et criaient. Des tourbillons de pluie, de neige et de fumée balayaient la prairie en mugissant. Chat sentait que le jardin tournait de plus en plus vite sur lui-même. Des nécromanciens traversaient les nuages de fumée en volant. Bernard, M. Saunders apparaissaient, puis disparaissaient dans la tempête blanche. Le mouchoir de Julia n'était plus qu'une guirlande de nœuds. Milly avait dû amener des renforts avec elle, car Chat aperçut Euphémie, le maître d'hôtel, un valet, deux jardiniers et, à son grand émoi, Will Suggins, dont la haute silhouette déchira un instant les brumes, dans le tumulte du jardin.

Le jardin tournait si vite à présent que Chat était tout étourdi. Le sol se balançait en un mouvement rapide et régulier. Chrestomanci apparut soudain devant Chat et tendit une main vers lui. Il était mouillé, ses vêtements claquaient au vent ; Chat n'était toujours pas vraiment sûr que sa taille fût normale.

– Peux-tu me donner ton sang de dragon ? demanda-t-il.

– Comment saviez-vous que j'en avais ? dit Chat, honteux, en lâchant le dragon afin de sortir la coupelle de sa poche.

– L'odeur, répondit Chrestomanci.

Chat lui donna la coupelle.

– Tenez. Est-ce que ça m'a fait perdre une vie ?

– Non, pas à toi, dit Chrestomanci. Mais il est heureux que tu n'aies pas laissé Janet y toucher.

Il fit un pas dans le tourbillon et y laissa s'envoler le contenu de la coupelle. Chat vit la poudre brune tourner un instant dans les airs, puis disparaître. La brume prit alors un ton rouge très sombre et le mugissement éclata en une sorte de son de cloche si puissant que Chat en eut presque les tympans percés. Il entendait les sorcières et les jeteurs de sort hurler d'effroi et d'horreur.

– Laissez-les crier ! dit Chrestomanci.

Il se tenait à présent appuyé contre l'un des piliers de l'arche.

– Chacun d'eux a maintenant perdu ses pouvoirs. Bien sûr, ils iront se plaindre aux autorités supérieures et cela fera l'objet d'un débat au Parlement, mais nous en réchapperons, je crois.

Il fit un signe de la main : de misérables individus en habit du dimanche trempé sortirent alors de la brume en une gigantesque et pitoyable procession et furent aspirés par l'arche magique, telles des feuilles mortes emportées par le vent. Un à un, ils disparaissaient entre les piliers de pierre. Chrestomanci écarta cependant les deux Nostrum de la file et les mena devant Chat. Chat était ravi de voir que l'un des aigles était perché sur l'épaule de Henry Nostrum, piquant fébrilement son crâne chauve, tandis que l'autre voletait, menaçant, autour de William Nostrum.

– Renvoie-les, dit Chrestomanci.

Chat renvoya les aigles à regret, et ils s'écrasèrent sur le sol, redevenus menottes d'argent. Puis les menottes furent balayées entre les piliers de l'arche avec les frères Nostrum.

Gwendoline vint en dernier. Chrestomanci l'obligea également à s'arrêter. Pendant ce temps, la brume s'éclaircissait et le silence revenait peu à peu dans la prairie, tandis que le reste de la famille, un peu pantelante, se rassemblait autour de l'arbre. Chat se demandait si le jardin tournait toujours. Mais sans doute n'avait-il jamais cessé de le faire.

Gwendoline les regardait d'un air à la fois effrayé et furibond.

– Laissez-moi partir ! Il faut que je rentre dans mon nouveau monde, pour y être reine.

– Ne sois pas si égoïste, dit Chrestomanci. Tu n'as absolument pas le droit d'envoyer comme ça huit personnes d'un monde dans un autre. Reste ici et apprends à mieux utiliser tes possibilités. Quant à tes espèces de courtisans, ils ne font pas vraiment ce que tu demandes, tu sais. Ils font juste semblant d'exécuter tes ordres.

– Ça m'est égal ! cria Gwendoline.

Elle releva ses jupes brodées d'or, envoya au loin ses souliers pointus et courut vers l'arche. Chrestomanci voulut la rattraper mais Gwendoline fit volte-face et lui jeta sa dernière pincée de sang de dragon au visage. Chrestomanci fut obligé de reculer et de se protéger la figure avec les mains. On entendit une détonation puissante, et l'espace entre les deux piliers devint noir. L'instant d'après, Gwendoline avait disparu, et on ne voyait plus que l'herbe de la prairie entre les piliers de pierre.

Même les chaussures pointues s'étaient volatilisées.

– Qu'a fait cette enfant ? demanda la vieille dame aux gants, toute retournée.

– Elle est repartie dans cet autre monde, dit Chrestomanci, lui aussi troublé. N'est-ce pas, Chat ?

Chat approuva vivement de la tête. Cela valait mieux ainsi. Il n'était pas du tout certain d'avoir jamais envie de revoir Gwendoline.

– Et regardez qui voilà, dit M. Saunders en désignant l'orée de la clairière.

Janet descendait la petite pente en titubant derrière Milly. Elle pleurait à chaudes larmes. Milly confia Violon à Julia et prit Janet dans ses bras. Bernard tapota affectueusement Janet sur l'épaule, et la vieille dame aux gants tenta de l'apaiser par des mots gentils.

Chat se tenait à l'écart, près des ruines. Le dragon à ses pieds ne le quittait pas des yeux. Janet avait été heureuse dans son propre monde. Ses parents lui avaient beaucoup manqué. A présent elle ne les verrait certainement plus, et Chat en était responsable. Et c'était Gwendoline que Chrestomanci avait traitée d'égoïste.

– Ce n'est pas vraiment ce que vous pensez, dit Janet en reniflant.

Elle allait s'installer sur la pierre au pied du pommier, mais elle se redressa vivement : cette pierre lui rappelait un souvenir beaucoup trop effrayant.

Chat eut pour elle une délicate attention. Il fit venir une des chaises bleues de la chambre de Gwendoline et la posa sur l'herbe à côté de Janet, qui sourit à travers ses larmes.

– C'est gentil, dit-elle avant de s'asseoir.

– J'appartiens au château de Chrestomanci, dit la chaise. J'appartiens au châ…

Elle s'arrêta net sur un regard sévère de Mlle Bessemer.

Janet s'assit avec quelques difficultés parce que le sol était très inégal.

– Où est Chat ? demanda-t-elle, anxieuse.

– Je suis là, dit Chat. C'est moi qui t'ai envoyé la chaise.

Janet sembla très soulagée de le voir, et Chat en fut ému.

– Que diriez-vous d'un pique-nique ? dit Milly à Mlle Bessemer. Il doit être près de deux heures.

– Bonne idée, répondit Mlle Bessemer.

Et elle se tourna vers le maître d'hôtel qui hocha la tête en signe d'approbation. Le valet et les deux jardiniers s'avancèrent alors, portant chacun deux grands paniers remplis de poulets rôtis, jambons, desserts, fruits et bouteilles de vin.

– Formidable, fit Roger.

Tout le monde s'assit en rond, la plupart sur l'herbe, pour déjeuner. Chat s'installa le plus loin possible de Will Suggins. Milly s'assit sur la vieille pierre. Chrestomanci s'aspergea le visage avec l'eau de la petite source, ce qui sembla lui faire énormément de bien, et vint s'adosser à la pierre. La vieille dame aux gants extirpa de nulle part un coussin, en expliquant qu'à son âge on ne pouvait plus s'asseoir sur l'herbe. L'air songeur, Bernard secoua la corde qui traînait par terre et elle se changea en hamac. Bernard le fixa entre les deux piliers de l'arche et s'y installa. Il fit de gros efforts pour paraître à son aise, mais tout le monde pouvait voir qu'il lui était impossible de manger et de garder son équilibre en même temps. On donna à Violon une aile de poulet et il l'emporta dans l'arbre, afin de la déguster sans être inquiété par le dragon. Le dragon, jaloux de Violon, passa son temps à souffler des nuages hargneux en direction du matou et à faire les yeux doux à Chat pour obtenir quelques morceaux de poulet.

– Je te préviens, dit M. Saunders, c'est le dragon le plus gâté du monde.

– Je suis le seul dragon du monde, rectifia le dragon d'un air suffisant.

Janet reniflait toujours discrètement.

– Ma pauvre chérie, nous comprenons ce que tu ressens, dit Milly. Nous sommes désolés.

– Je peux te renvoyer chez toi, dit Chrestomanci. Ça n'est pas très facile parce que Gwendoline est partie dans un monde qui n'appartient pas à notre série. Mais cela doit être possible.

– Non, non. Ça va, merci, dit Janet en ravalant ses sanglots. Ça ira très bien quand je serai habituée – en fait, j'espérais revenir ici... Mais c'est très dur, parce que vous voyez...

Ses yeux se remplirent de larmes. Son menton tremblait. Un mouchoir apparut dans l'air et vint se poser dans sa main. Chat ne savait pas qui avait fait cela, mais il était déçu de ne pas y avoir pensé lui-même.

– Merci, dit Janet. Vous voyez, maman et papa n'avaient pas remarqué la différence.

Elle se moucha énergiquement.

– Je me suis retrouvée dans ma chambre, et l'autre fille – elle s'appelle Romillia – était en train d'écrire son journal quand l'échange s'est fait. Elle avait été arrêtée en plein milieu d'une phrase, et le cahier traînait sur la table, alors je l'ai lu. Au début, elle racontait qu'elle avait très peur que mes parents s'aperçoivent qu'elle n'était pas moi. Ensuite, elle était très heureuse et très fière parce que mes parents ne s'étaient rendu compte de rien. Elle avait une vie très dure dans son monde à elle, parce qu'elle était orpheline. Elle était malheureuse là-bas. Elle a écrit des choses qui m'ont fait de la peine pour elle. Figurez-vous, poursuivit gravement Janet, qu'elle était juste en train de se demander si c'était prudent de tenir un journal, à cause de mes parents. Je lui ai écrit un petit mot pour lui dire que, effectivement, ce n'était pas prudent, mais si elle devait continuer d'écrire son journal, elle n'avait qu'à le mettre dans une de mes bonnes cachettes. Et ensuite… ensuite je me suis assise, en espérant plutôt que je reviendrais ici.

– C'était gentil de ta part, dit Chat.

– Oui, et sache que tu es la bienvenue, ma chérie, dit Milly.

– Tu es sûre que tu veux rester ? demanda Chrestomanci à Janet, en la regardant attentivement par-dessus sa cuisse de poulet.

Janet fit oui plusieurs fois de la tête, tout en essuyant quelques larmes.

– C'est pour toi que je me suis fait le plus de souci, dit Chrestomanci. Hélas ! je n'ai pas immédiatement compris ce qui s'était passé. Gwendoline avait deviné la fonction du miroir de sa coiffeuse, elle a donc effectué le transfert dans sa salle de bains. Et puis il faut dire qu'aucun de nous ne soupçonnait que les pouvoirs de Chat fussent si importants. La vérité m'est apparue lors du malheureux épisode de la grenouille, et j'ai aussitôt regardé ce qu'il était advenu de Gwendoline et de ses sept doubles. Gwendoline était dans son élément. Et Jennifer, qui a remplacé Romillia, est d'un caractère aussi dur que Gwendoline, et avait souvent rêvé de ne plus avoir de parents. Quant à la reine Caroline, que Gwendoline a remplacée, elle était aussi malheureuse que Romillia, elle avait d'ailleurs tenté de s'enfuir à trois reprises. Il en est à peu près de même pour les cinq autres. Elles sont davantage à leur place maintenant qu'elles ne l'étaient, sauf toi, peut-être, Janet.

Janet leva les yeux de son mouchoir et regarda Chrestomanci d'un air indigné :

– Vous n'auriez pas pu me dire que vous saviez ? J'aurais tout de même eu moins peur de vous ! Et vous ne pouvez pas imaginer tous les ennuis que ça a causés à Chat ! Sans parler de M. Batard qui me réclamait vingt livres, et des angoisses que j'avais pendant les cours d'histoire et de géographie ! Il n'y a pas de quoi rire, vous savez ! ajouta-t-elle en constatant que son récit avait déclenché l'hilarité générale.

– Je te prie de m'excuser, dit Chrestomanci. Crois-moi, ce fut une des décisions les plus difficiles que j'aie jamais prises. Mais qui diable est M. Batard ?

– Elle veut dire M. Baslam, expliqua Chat à contre-cœur. Gwendoline lui a acheté du sang de dragon qu'elle n'a pas vraiment payé.

– Le prix qu'il réclame est honteux, dit Milly. En plus, c'est illégal, tu sais.

– J'irai lui dire deux mots demain, dit Bernard du fond de son hamac. Mais il sera peut-être déjà parti. Il sait bien que je l'ai à l'œil.

– Pourquoi était-ce une des décisions les plus difficiles que vous ayez prises ? demanda Janet à Chrestomanci.

Chrestomanci jeta son os de poulet au dragon et s'essuya longuement les mains sur un superbe mouchoir brodé d'un C en or. Cela lui donna un prétexte pour regarder en direction de Chat, de son air le plus vague. Chat savait à présent que Chrestomanci ne regardait jamais vraiment dans le vague, il ne fut donc pas trop surpris de l'entendre dire calmement :

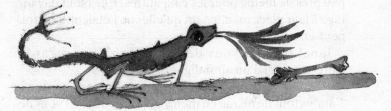

– A cause de Chat. Nous aurions bien aimé qu'il vienne de lui-même nous dire ce qui était arrivé. Nous lui en avons d'ailleurs donné l'occasion, à plusieurs reprises. Mais, comme il tenait sa langue, nous étions en droit de le soupçonner de connaître l'étendue de ses pouvoirs.

– Mais je ne savais rien du tout ! protesta Chat.

Janet, à qui le fait de pouvoir enfin satisfaire entièrement sa curiosité rendait peu à peu le sourire, ajouta :

– Je crois que vous avez eu tort. C'est parce que nous avions peur que nous sommes venus dans le jardin, et que vous et Chat avez failli vous faire tuer. Vous auriez dû nous parler.

– Peut-être, convint Chrestomanci en épluchant une banane d'un air songeur.

Il regardait toujours Chat.

– Normalement, les gens comme les Nostrum n'osent pas s'attaquer directement à nous. Je savais qu'ils complotaient quelque chose à travers Gwendoline et je pensais que Chat était au courant. Désolé, Chat. Je n'aurais jamais fait venir Gwendoline si Chat n'avait pas été avec elle. Mais il fallait que nous l'ayons au château : Chrestomanci doit être un enchanteur à neuf vies. Aucune autre personne ne serait assez forte pour ce poste.

– Poste ? s'étonna Janet. C'est un titre héréditaire alors ?

A ces mots, M. Saunders rit à gorge déployée. Il jeta également son os au dragon et s'exclama :

– Certainement pas ! Nous sommes tous au service du gouvernement ici. Le travail confié à Chrestomanci est de faire en sorte que le monde ne soit pas sous la domination des sorciers et des sorcières. Les gens ordinaires ont des droits, eux aussi. Il doit également s'assurer que les sorciers ne se rendent pas dans des mondes où il y a moins de magie que dans le nôtre – voire pas du tout – pour y semer la panique. Ce sont d'énormes responsabilités. Nous, nous sommes ses collaborateurs.

– Et il a besoin de nous comme d'une troisième jambe, fit remarquer Bernard, qui tentait l'exploit de manger son dessert sans quitter son hamac.

– Tu plaisantes ! dit Chrestomanci. Sans toi, aujourd'hui, je n'aurais eu aucune chance.

– Je pensais seulement à la facilité déconcertante avec laquelle tu as trouvé le futur Chrestomanci pendant que nous tournions en rond, dit Bernard dont le costume était déjà maculé de crème.

– Les enchanteurs ne sont pas faciles à trouver, expliqua Chrestomanci à Janet. Tout d'abord ils sont très rares, ensuite il faut qu'ils utilisent leurs pouvoirs pour que nous puissions les reconnaître. Ce que ne faisait pas Chat. Nous nous demandions si nous n'allions pas en faire venir un d'un autre monde, lorsque Chat est par hasard tombé entre les mains d'un médium. A ce moment-là, nous savions où il était mais pas qui il était. Je ne me doutais pas du tout qu'il s'agissait d'Eric Arcand, ni d'une personne appartenant à ma famille, d'ailleurs… Bien que le fait que ses parents fussent cousins – ce qui double les chances de pouvoirs magiques chez les enfants – eût peut-être dû me mettre sur la voie. Et puis je dois avouer que Frank Arcand m'avait écrit un jour que sa fille était une sorcière et semblait utiliser son frère d'une certaine façon. Pardonne-moi, Chat : j'ai ignoré cette lettre parce que ton père s'était montré plus que désagréable envers moi lorsque je lui avais proposé de faire en sorte que ses enfants naissent sans pouvoirs magiques.

– Ah, pour être désagréable, il a été désagréable, tu sais, renchérit Bernard.

– C'était donc de cela que parlaient les lettres… dit Chat.

– Je ne comprends toujours pas pourquoi vous n'avez rien dit à Chat, objecta Janet. Pourquoi ne pouviez-vous pas ?

Chrestomanci regardait toujours vers Chat d'un air vague, mais Chat savait qu'il était très attentif.

– Les choses se sont passées de la façon suivante, dit Chrestomanci. Tu sais que nous nous connaissions à peine. Chat ne semblait pas posséder de pouvoirs magiques, tandis que sa sœur, elle, réalisait des choses bien au-delà de ses propres possibilités, et continuait alors que

nous l'avions privée de ses facultés. Que pouvais-je penser : Chat sait-il ou ne sait-il pas ? S'il ne sait pas, alors pourquoi ? Et s'il sait, de quoi est-il capable ? Que nous réserve-t-il ? Lorsque Gwendoline est partie, et que personne n'en a dit mot, j'ai espéré que certaines réponses allaient enfin surgir. Mais non, Chat ne faisait toujours rien…

– Comment… rien ! s'indigna Janet. Il a annulé tous les sortilèges que Julia imaginait pour moi.

– Oui, et je ne pouvais pas savoir ce qui se passait… dit Julia, plutôt honteuse.

Chat se sentait blessé et mal à l'aise. Il se leva :

– Laissez-moi tranquille.

Tous eurent soudain l'air tendu, inquiet. Tous sauf Janet, car elle n'était pas encore vraiment accoutumée à la magie, et Chat ne la comptait donc pas. A sa grande honte, il s'aperçut qu'il devait faire de gros efforts pour ne pas pleurer.

– Arrêtez de me traiter de la sorte et de me surveiller ! plaida-t-il d'une voix mal assurée. Je ne suis pas un fou, ni un bébé. Vous avez tous peur de moi, n'est-ce pas ? Vous ne me disiez rien et vous ne punissiez pas Gwendoline parce que vous aviez peur que je provoque une catastrophe. Eh bien non. Parce que je ne sais pas faire des choses comme ça. Et je ne savais même pas que j'en avais le pouvoir.

– Mais, mon chéri, nous ne pouvions pas en être certains, dit doucement Milly.

– Alors, soyez-le, dorénavant, dit Chat. Les seules choses que j'ai faites, c'était par erreur. Venir dans ce jardin par exemple… et, je suppose aussi, transformer Euphémie en grenouille. Je ne savais absolument pas que c'était moi.

– Ne t'inquiète plus, Eric, dit Euphémie assise dans l'herbe auprès de Will Suggins. C'est le choc qui m'a perturbée, mais je sais que les enchanteurs sont très différents de nous autres sorcières. Et je te promets de parler à Mary.

– Parlez à Will Suggins aussi, pendant que vous y êtes, suggéra Janet. Parce qu'il va se venger en changeant Chat en grenouille d'une minute à l'autre, maintenant.

Euphémie se tourna vers Will :

– Quoi ?

– Qu'est-ce que cela signifie, Will ? demanda Chrestomanci.

– C'est vrai, j'avais préparé cela pour trois heures, monsieur, avoua Will Suggins, non sans hésitation. Enfin, s'il refusait de se battre contre moi... en tigre.

Chrestomanci sortit de son gilet une grosse montre en or.

– C'est l'heure, il me semble. Si je peux me permettre, ce n'était pas très prudent de votre part, Will. Supposons que vous poursuiviez, que vous changiez Chat en grenouille, ou vous-même en tigre, ou les deux... Je n'interviendrais pas.

Will Suggins se leva péniblement et se dirigea vers Chat en traînant les pieds, l'air misérable.

– Alors... je laisse opérer le sortilège, dit-il piteusement.

Chat se sentait encore si troublé et désemparé qu'il se demanda s'il allait se transformer en grenouille pour tranquilliser Will Suggins, ou essayer de se changer en puce. Mais, finalement, tout cela lui semblait bien ridicule.

– Pourquoi ne vous changez-vous pas en tigre ? suggéra-t-il.

Comme Chat l'avait supposé, Will Suggins faisait un tigre magnifique, élancé, au poil luisant et fourni. Il était imposant, mais se mouvait avec tant de souplesse qu'il paraissait léger. Cependant, Will Suggins gâcha lui-même le bel effet provoqué par la prestance de son tigre en se grattant la tête avec sa patte d'un geste embarrassé, tandis que ses yeux lançaient des appels désespérés en direction de Chrestomanci. Ce dernier se mit à rire.

Le dragon abandonna provisoirement la surveillance de Violon pour examiner de plus près cette nouvelle créature. En le voyant s'approcher, Will Suggins eut si peur qu'il détala vers le bois. Il était si peu à l'aise dans son rôle de tigre que Chat lui fit retrouver sur-le-champ son apparence normale.

– Ce n'était pas un vrai ? demanda le dragon, surpris.

– Oh, non ! s'exclama Will Suggins en s'essuyant le front. Bravo mon gars, tu as gagné. Mais comment as-tu fait ça si vite ?

– Je ne sais pas, répondit Chat comme s'il s'excusait. Vraiment, je n'en ai aucune idée. Est-ce que je le saurai quand vous me donnerez des cours de magie ? demanda-t-il à M. Saunders.

M. Saunders pâlit légèrement :

– Eh bien…

– Non, dit Chrestomanci, est la juste réponse, Michael. Il est clair que la magie élémentaire ne va pas signifier grand-chose pour Chat. C'est moi-même qui serai ton professeur, Chat, et je crois que nous ferions mieux de commencer par la théorie avancée. On dirait que tu débutes là où la plupart des gens se sont déjà arrêtés.

– Mais pourquoi ne le savait-il pas ? demanda Janet. Moi, ça me met toujours en colère quand je ne suis pas au courant. Et là, je me sens en colère pour Chat. Quand je pense à tous les ennuis qu'il a eus !

– C'est vrai, dit Chrestomanci. Mais cela vient de la nature même des enchanteurs, je pense. Il m'est arrivé quelque chose de semblable. Moi non plus, je ne pouvais rien faire. Absolument rien. Et j'étais persuadé de n'avoir aucun don. Mais ils se sont aperçus que j'avais neuf vies – je les perdais à une telle vitesse qu'il était difficile de ne pas s'en apercevoir – et ils m'ont dit que je serais le futur Chrestomanci, ce qui me semblait absurde puisque je ne pouvais réaliser le moindre petit sortilège. Alors ils m'ont envoyé chez un professeur, un vieux monsieur absolument terrifiant, qui était censé résoudre le problème. Il m'a regardé longuement et il a dit en grognant : « Vide tes poches, Arcand », ce que j'ai fait aussitôt. J'avais bien trop peur pour ne pas obéir. J'ai donc sorti ma montre en argent, quelques pièces en argent, un porte-bonheur en argent qui me venait de ma marraine, une épingle de cravate en argent que j'avais oublié de mettre, et une bague en argent que j'étais supposé porter sur mes dents afin de les redresser. Une fois débarrassé de tout ce matériel, je me suis mis à réaliser des choses tout à fait étonnantes. J'ai notamment fait décoller le toit de la maison de mon professeur.

– Alors, c'était bien vrai pour l'argent, dit Janet.

– Pour moi, oui.

– Le pauvre chéri, dit Milly en souriant. Il est si mal à l'aise, si faible quand il a des pièces d'argent à la main ! Il ne supporte que la petite monnaie.

– Et il nous donne notre argent de la semaine en ferraille quand Michael ne l'a pas sur lui, dit Roger. Imagine un peu cinquante pièces dans ta poche !

– Le plus gros problème, ce sont les repas, confia

Milly. Il est incapable de faire quoi que ce soit quand il a un couteau et une fourchette à la main... Et Gwendoline faisait toujours des choses épouvantables pendant le dîner.

– Comme c'est bête ! s'exclama Janet. Pourquoi n'utilisez-vous donc pas des couverts en inox !

Milly et Chrestomanci se regardèrent.

– Je n'y avais jamais pensé, dit gaiement Milly. Ma chère petite Janet, c'est une très bonne chose que nous te gardions avec nous !

Janet regarda Chat en riant. Et Chat, bien qu'il se sentît un peu seul et qu'il eût encore la gorge nouée, réussit à rire, lui aussi.

GLOSSAIRE

Cartomancie : procédé de divination fondé sur l'interprétation des combinaisons de cartes à jouer (tarots).

Chiromancie : procédé de divination fondé sur l'étude de la forme et des lignes de la main.

Clairvoyant (voyant, extralucide…) **:** personne qui possède la faculté de voir ce qui est caché et de prédire l'avenir.

Divination (devin) **:** art de deviner l'inconnu, et en particulier l'avenir, par divers procédés.

Médium : personne extrêmement réceptive pouvant servir d'intermédiaire entre les hommes et les esprits.

Nécromancie : art de découvrir ce qui est caché par l'évocation des morts.

Substances exotiques : sont regroupés sous ce terme divers produits possédant des propriétés magiques. En voici quelques exemples :

– produits d'origine animale : yeux de tritons, langues de serpents, sang de dragon, etc.

– produits d'origine végétale : cardamine ou cressonnette, cardamome, ellébore, herbe de la Saint-Jean, moly ou ail doré, etc.

Toutes ces substances ont des propriétés et des applications très diverses. Certaines peuvent présenter un danger réel. Aussi le commerce en est-il réglementé.

Hiérarchie des principales catégories de personnes pratiquant la sorcellerie à titre professionnel ou privé :
Par ordre croissant :
Extralucides et devins
Sorcières et sorciers diplômés
Nécromanciens
Sorcières et sorciers accrédités
Docteurs en sorcellerie
Magiciens
Enchanteurs
NB : nous avons volontairement exclu de cette classification les jeteurs de sort, hypnotiseurs et autres professions qui ne sont pas reconnues officiellement par le Conseil de la sorcellerie.

DIANA WYNNE JONES
L'AUTEUR

Diana Wynne Jones est née à Londres. Elle décide de devenir écrivain à l'âge de huit ans mais ne se met à écrire qu'après avoir terminé ses études et eu des enfants. Elle n'a pas de frère enchanteur, pourtant elle semble bien avoir été ensorcelée pendant toute la période où elle a écrit ce livre : « J'étais extrêmement distraite, raconte-t-elle. Il m'est même arrivé un jour de mettre dans le four une vieille paire de bottes toutes boueuses de mon mari au lieu du rôti. »

Auteur à plein temps, elle vit à Bristol avec son mari, professeur de littérature à l'université, et le plus jeune de ses trois fils.

Diana Wynne Jones est l'auteur d'une vingtaine de livres. *Ma sœur est une sorcère* est le huitième à avoir été publié.

GEORGES LEMOINE
L'ILLUSTRATEUR

Georges Lemoine, qui est l'auteur des illustrations de *Ma sœur est une sorcière*, dessine, peint et photographie. Il aime la littérature contemporaine et pense qu'il faut la faire connaître aux jeunes lecteurs. Il illustre le plus souvent des textes destinés à ce public, créant à son intention des fenêtres dans les mots, les pages imprimées... afin de lui faciliter l'accès aux livres. Georges Lemoine a illustré des textes d'auteurs contemporains comme Rolande Causse, J.-M. G. Le Clézio, Jean-François Ménard, Jacques Roubaud, Michel Tournier, Claude Roy, Marguerite Yourcenar.

Découvrez d'autres histoires de sorcellerie
dans la collection FOLIO **JUNIOR**

LA POTION MAGIQUE DE GEORGES BOUILLON
Roald **Dahl**
n° 463

La plupart des grand-mères sont d'adorables vieilles dames, gentilles et serviables. Hélas, ce n'est pas le cas de la grand-mère de Georges ! Grincheuse, affreuse et égoïste, elle ressemble trop à une sorcière. Et puis elle a de curieux goûts : elle aime se régaler de limaces, de chenilles… Un jour, alors qu'elle vient une fois de plus de le terroriser, Georges décide de lui préparer une terrible potion magique. Une potion aux effets surprenants, extraordinaires, hilarants.

SACRÉES SORCIÈRES
Roald **Dahl**
n° 613

Ce livre n'est pas un conte de fées, mais une histoire de vraies sorcières. Vous n'y trouverez ni stupides chapeaux noirs, ni manches à balai : la vérité est beaucoup plus épouvantable. Les vraies sorcières sont habillées de façon ordinaire, vivent dans des maisons ordinaires. En fait, elles ressemblent à n'importe qui. Si on ajoute à cela qu'une sorcière passe son temps à dresser les plans les plus démoniaques pour attirer les enfants dans ses filets, vous comprendrez pourquoi ce livre vous est indispensable !

LA SORCIÈRE DE LA RUE MOUFFETARD

Pierre **Gripari**

n° 440

Il était une fois la ville de Paris. Il était une fois une rue Broca. Il était une fois un café kabyle. Il était une fois un Monsieur Pierre. Il était une fois un petit garçon qui s'appelait Bachir. Il était une fois une petite fille. Et c'est ainsi que, dans ce livre, vous allez faire la connaissance d'une sorcière, d'un géant, d'une paire de chaussures, de Scoubidou, la poupée voyageuse, d'une fée, et que vous aurez enfin la véritable histoire de Lustucru et de la mère Michel.

HARRY POTTER À L'ÉCOLE DES SORCIERS

Joanne **Rowling**

n° 463

Harry Potter est un sorcier surdoué qui, à peine âgé de quelques mois, a réussi à vaincre l'effroyable Voldemort, un mage maléfique assoiffé de puissance. Comme il se doit, Harry Potter, devenu grand, fera ses études au collège Poudlard, l'école des sorciers, dont Voldemort a aussi été l'élève. Un collège très particulier où l'on apprend à voler sur des balais, à jeter des sorts et à combattre des Trolls, mais qui recèle aussi de redoutables secrets. Ainsi lorsque Harry et ses amis découvrent l'incroyable trésor que garde un féroce chien à trois têtes, il ne faut pas s'étonner que certains, au sein du collège, s'acharnent à réussir ce que Voldemort a raté : se débarrasser définitivement de Harry Potter. Le combat des sorciers commence alors, un combat impitoyable... et désopilant !

Loi n°49-956 du 16 juillet 1949
sur les publications destinées à la jeunesse
ISBN 2-07-051972-4
Numéro d'édition : 86231
1er dépôt légal dans la même collection : novembre 1996
Dépôt légal : septembre 1998
Imprimé sur les presses de l'imprimerie Hérissey, à Évreux
Numéro d'impression : 81841

Loi n° 49-956 du 16 juillet 1949
sur les publications destinées à la jeunesse.

ISBN: 2-07-051972-3

Numéro d'édition: 82319

Dépôt légal: septembre 1998

Imprimé en France par la Société Nouvelle Firmin-Didot
Numéro d'impression: 44344.